Edgar Destoits

Traduit de l'anglais par Jacqueline Odin

Titre original : *Barnaby Grimes*
Return of the Emerald Skull
First published in Great Britain by Doubleday,
an imprint of Random House Children's Books
Text and illustrations copyright © Paul Stewart and Chris Riddell, 2008
The right of Paul Stewart and Chris Riddell to be identified
as the authors of this work has been asserted in accordance
with the Copyright, Designs and Patents Act 1988.
All rights reserved.

Pour l'édition française :
© 2008, Éditions Milan, 300 rue Léon-Joulin,
31101 Toulouse Cedex 9, France
Loi 49-956 du 16 juillet 1949 sur les publications
destinées à la jeunesse
ISBN : 978-2-7459-2985-3
www.editionsmilan.com

PAUL STEWART & CHRIS RIDDELL

Edgar Destoits

L'ÉTRANGE AFFAIRE DU CRÂNE D'ÉMERAUDE

MILAN

Pour Anna, Katy et Jack

CHAPITRE 1

Extirpe son cœur battant ! a ordonné la voix archaïque, chaque syllabe imprégnée d'une sombre malveillance contre laquelle j'étais incapable de lutter.

Au-dessus de ma tête, la lune glissait lentement mais inexorablement vers le disque du soleil. Un affreux crépuscule envahissait la cour. Et, à mesure que la lumière déclinait, les derniers vestiges de ma volonté de résistance s'évanouissaient.

Comme une grappe de hideux vautours, des personnages indistincts cernaient le grand autel qui se dressait devant moi. Leur visage au bec pointu et leurs longues plumes froufroutantes ont tremblé d'une ignoble impatience tandis que leurs orbites sombres se tournaient en chœur dans ma direction.

Les jambes gauches, vacillantes, je me suis approché à la façon d'un somnambule, gravissant les marches l'une après l'autre, mû par une force irrésistible.

Les silhouettes hideuses m'ont livré passage. Arrivé près de l'autel, j'ai baissé les yeux. Là, nu jusqu'à la taille, couché sur le dos, les bras et les jambes écartés, un homme était ligoté. Des entailles et des zébrures de fouet parsemaient sa peau – certaines avaient déjà une croûte, d'autres saignaient encore – et ses côtes saillantes donnaient à sa poitrine l'aspect d'un xylophone abîmé.

Sa tête pendait sur le côté ; de ses lèvres écartées sortait une plainte sourde, rauque.

– Pitié, a-t-il imploré, braquant sur moi les yeux terrorisés d'un lapin acculé par un furet. Ne le faites pas, je vous en supplie...

À cet instant, le cercle noir de la lune a masqué les ultimes rayons éblouissants du soleil. Stupéfait, j'ai regardé le ciel. Le disque entier était devenu noir comme de l'ébène et, sur son pourtour, un halo hérissé de pointes irradiait : un œil noir impitoyable semblait observer la Terre depuis la voûte céleste.

Le plus grand personnage en habit de plumes s'est avancé face à moi. Il portait une large couronne à plumets bleus irisés. Derrière lui, posé tel un œuf grotesque sur le coussin d'un grand fauteuil en cuir, se trouvait un horrible crâne grimaçant. Comme je le regardais, les énormes joyaux enfoncés dans ses orbites ont émis une lueur cramoisie, sanglante, qui a taché la sinistre pénombre de l'éclipse.

*Le personnage vêtu de plumes a fouillé dans sa cape
et en a tiré un gros couteau de pierre.*

Le personnage vêtu de plumes a fouillé dans sa cape et en a tiré un gros couteau de pierre, qu'il m'a présenté. De nouveau, la voix archaïque s'est fait entendre dans ma tête :

– *Extirpe son cœur battant !*

Malgré moi, j'ai tendu la main et saisi le manche du couteau. Alors que j'effectuais ce geste, j'ai senti mon bras monter, comme s'il avait été attaché à un fil tiré par un marionnettiste invisible.

J'ai considéré l'homme ligoté sur l'autel. Une croix peinte, rouge vif, marquait l'endroit où son cœur battait, j'en étais persuadé, aussi violemment que le mien.

J'ai serré plus fort le cruel couteau de pierre, à lame étincelante, tandis que les yeux rubis du crâne grimaçant me transperçaient de leur lueur sanglante. À l'intérieur de ma tête, la voix est devenue un hurlement strident :

– *Extirpe son cœur battant... et donne-le-moi !*

CHAPÎTRE 2

Comment aurais-je pu pressentir quel cauchemar éveillé allait se dérouler quand, par un bel après-midi d'été, j'ai pris le chemin de l'école du manoir Fougeraie, le pas souple et le cœur chantant ?

Je ne connais pas votre avis à ce sujet, mais il m'a toujours semblé que les écoles étaient des institutions étranges, contre nature. Comprenez-moi bien : je ne suis absolument pas un adversaire de l'étude et de l'apprentissage. Loin s'en faut ! D'ailleurs, je n'aime rien tant que me plonger dans les ouvrages poussiéreux qui s'alignent sur les rayons de la bibliothèque d'Inframont pour les érudits de l'Arcane après une rude journée de travail...

Je suis envoyé tic-tac de profession, c'est-à-dire coursier, pour ceux d'entre vous qui l'ignoreraient. On me confie des paquets et je les livre aussi rapidement que possible d'un bout à l'autre de cette grande ville, car – tic-tac – le temps, c'est de l'argent !

Plus je vais vite, mieux je gagne ma vie. C'est aussi simple que ça.

Voilà pourquoi j'emprunte toujours l'itinéraire le plus direct : par les toits. La voltige des sommets, c'est son nom, ne convient pas aux peureux, je vous assure. J'ai eu ma part de chutes à mon époque. Ce sont les risques du métier – une des raisons pour lesquelles il n'y a pas davantage de voltigeurs. La plupart des envoyés tic-tac considèrent l'activité trop dangereuse et préfèrent rester sur le plancher des vaches. Nous les voltigeurs, nous les appelons des « rampants collés aux pavés ». Pour voyager par les toits, il faut avoir de l'entraînement, de l'audace, le sens de l'aventure… et savoir flairer le danger.

Tenez, ce sont précisément des choses qu'on n'enseigne pas dans ces écoles chic.

Car les fils et filles dorlotés des riches, envoyés dans des établissements aux noms prestigieux comme le pensionnat Beauchamp pour demoiselles de qualité ou l'institut Valsonne pour les fils de la petite noblesse, y apprennent la danse, la chasse à courre et l'art de converser dans une langue conforme au goût du jour.

Néanmoins, toutes les écoles ne sont pas aussi prestigieuses que Beauchamp et Valsonne. Oh non ! J'ai vu maints établissements qui ressemblaient plus à des asiles d'aliénés ou à des pénitenciers qu'à des lieux d'étude. Fondées par des professeurs persuasifs et bardés de titres imposants, ces écoles s'engagent à faire de leurs malheureux élèves des dames et messieurs distingués, et facturent aux parents crédules les frais d'inscription exorbitants qui correspondent.

« Pensionnats prisons », tel est leur surnom, car une fois l'effectif au complet, les professeurs verrouillent les portes et contrôlent les moindres entrées et sorties. De cette manière, ils peuvent empocher les droits d'inscription sans consacrer un sou à leurs élèves.

Jonquier, le vieux marchand de tissus, paie les frais de scolarité du petit Jonathan et, en échange, reçoit tous les trimestres une lettre de son enfant chéri lui assurant qu'il se porte à merveille. La vérité est pourtant bien différente. Le petit Jonathan et ses camarades manquent de nourriture, subissent des sévices et dorment à dix dans un lit infesté de vermine tandis que le professeur Coup-de-bâton et ses sbires de l'équipe enseignante amassent des fortunes.

Je le sais, croyez-moi, car l'envoyé que je suis a porté des brassées de « lettres d'écoliers ». Chaque fois que je découvre qu'elles sont fausses ou qu'elles ont été rédigées sous la menace, je m'efforce d'alerter les parents – mais c'est stupéfiant de voir à quel point ils préfèrent s'aveugler. En outre, que vaut la parole d'un envoyé tic-tac face à l'éloquence d'un professeur ?

Il ne faut pas s'étonner, dès lors, qu'il y ait des rébellions scolaires.

Parfaitement. Des rébellions. Quand les pauvres internes opprimés des « pensionnats prisons » n'en peuvent vraiment plus.

Prenez l'école de la grange Grenaille, par exemple. Des mois durant, les élèves ont fabriqué toutes sortes d'armes sous le nez du directeur tyrannique, le colonel Languille, et de son équipe d'anciens militaires, qui étaient censés inculquer à leurs classes « la discipline et la fibre morale d'une éducation militaire ». Le bon colonel ne s'attendait sans doute pas à de tels travaux pratiques.

Malgré leurs rations de pain moisi et de gruau clairet, les grenadiers de la grange Grenaille (comme ils s'étaient baptisés) ont réussi à mettre leurs bourreaux en déroute au cours d'une bataille rangée puis à les assiéger pendant cinq jours en salle des professeurs, utilisant des catapultes, des sarbacanes et un canon de leur cru.

Bien sûr, la plus célèbre rébellion scolaire s'est produite quelques années plus tôt, à l'institut Quignal pour demoiselles. Les « amazones » ont vaincu dame Cécile Mondragon et les cinquante anciens forçats à son service en employant maillets de croquet et chats sauvages, et ont libéré les élèves de l'école élémentaire, parmi lesquelles les filles de plusieurs marchands importants et la nièce de monsieur le maire. Je dois le reconnaître, j'ai joué un petit rôle dans cette rébellion, à cause de mon étroite amitié avec une certaine Émilie Gué-Marais, une fille aux yeux verts saisissants et au joli sourire…

Mais c'est une autre histoire.

Comme je l'ai dit, les écoles sont diverses. Il y en a d'excellentes, comme Beauchamp et Valsonne, et de terriblement mauvaises, comme la grange Grenaille et l'institut Quignal. Le manoir Fougeraie était, selon les critères en vigueur, un bon établissement. Il se trouvait dans le sud de la ville, où les manufactures et les usines laissent la place aux bosquets et aux prairies, où les pavés disparaissent au profit des chemins herbeux. Il est possible, là-bas, quand on longe les spacieux pavillons, leurs grands jardins et leurs lacs ornementaux, de se croire à la campagne. Il y a quelques années, vers la fin de l'été, j'ai même fait une promenade nocturne en charrette à foin dans les faubourgs sud, pendant l'effrayante alerte au zombie épouvantail…

Bref, les jardins débordaient de fleurs et les oiseaux chantaient dans les haies tandis que je m'approchais de l'entrée du manoir Fougeraie par ce bel après-midi estival. Je me suis présenté à la loge, incluse dans le haut mur d'enceinte au bout de l'allée, avec un colis urgent pour le directeur, un certain Archimède Berris, licencié ès lettres (avec mention), docteur ès lettres, membre de la Société royale de littérature.

Sur le terrain, des garçons jouaient à la pelote Valsonne, jeu inventé à l'institut du même nom et très répandu alors. C'était, me semblait-il, un mélange de base-ball et de croquet, dans lequel il fallait frapper cinq grandes cibles situées sur le champ extérieur. Si les règles restaient un mystère, il fallait également, à ce que je voyais, courir et crier sans cesse, et ne pas oublier d'effectuer quelques tacles vigoureux.

J'ai expliqué l'objet de ma visite au concierge, bonhomme jovial à la moustache cirée et à la poignée de main chaleureuse, qui devait avoir la cinquantaine. Je connaissais les braves types dans son genre. Ancien militaire, à en juger par son maintien droit et ses favoris bien taillés ; sans doute simple soldat dans l'infanterie – même si tous les garçons l'appelaient « le commandant ». Il a prié l'un d'eux de me conduire jusqu'au bureau du directeur.

– Tixiol va vous accompagner, m'a-t-il dit, me désignant un joueur blond en blazer blanc négligé et en culottes courtes grises tachées d'herbe. Monsieur Berris sera enchanté de vous voir. S'il y arrive, ajouta-t-il avec un petit rire. Pour l'heure, il n'y voit pas plus clair qu'un caporal au fond d'une cave à charbon.

Tixiol, mon guide, semblait plutôt aimable. Nous avons pris un sentier parallèle à l'allée principale, puis franchi une zone de graviers où pouvaient stationner les carrosses et les diligences. Les murs des édifices étaient en pierre locale – gris souris, lorsque le lierre dense ne les masquait pas. Nous avons suivi une galerie voûtée, traversé une vaste cour avec une fontaine sculptée, suivi une autre galerie voûtée, plus imposante, qui menait au bâtiment principal – magnifique construction pleine d'échos, riche en bois sombre et en carreaux vernissés.

Comme nous entrions, j'ai remarqué que les élèves autour de nous avaient une mine florissante, épanouie, qu'ils souriaient et soulevaient poliment leurs chapeaux blancs à pompon sur notre passage.

Ce n'était assurément pas un « pensionnat prison », ai-je pensé alors que nous nous dirigions vers les étages.

Le majestueux escalier, aussi splendide que le reste, avait des murs tapissés de portraits. Atteignant un palier, nous avons tourné à droite, vers l'aile est. Quelques instants plus tard, Tixiol s'est arrêté devant une large porte en chêne, dont la plaque un peu ternie m'a informé que nous étions arrivés à destination.

– Voilà, monsieur, m'a dit mon guide. Le bureau du directeur. Souhaitez-vous que je vous annonce, monsieur ?

– Non, non, ai-je répondu. Je vais me présenter moi-même. Retournez à votre jeu… et merci, ai-je ajouté tandis qu'il faisait demi-tour et s'éloignait dans le corridor.

J'ai frappé.

– Entrez, a dit une voix fluette, aiguë.

J'ai obéi. La pièce était meublée avec simplicité. Sur le sol, il y avait un tapis orné mais usé ; sur la droite, de grandes bibliothèques ; sur la gauche, deux fenêtres à petits carreaux, devant lesquelles trônait une grande table de travail, au bois noir comme l'ébène. Un monsieur âgé, aux cheveux blancs (le directeur, Archimède Berris, ai-je supposé), était penché sur la lettre qu'il rédigeait, le visage si près du plateau que son nez frôlait presque le papier. Je me suis approché : il a levé la tête et m'a regardé en plissant les yeux, les sourcils froncés par la concentration.

– Oui, mon garçon ? Que puis-je pour vous ? a-t-il demandé, sa plume immobile dans sa main droite. Parlez, j'ai d'autres chats à fouetter.

– Je suis Edgar Destoits, monsieur… ai-je commencé.

– Destoits ? Destoits ? a répété le directeur en me scrutant, les paupières mi-closes. Vous devez être nouveau… Bref, j'espère que c'est important, Destoits, car j'attends une livraison d'une minute à l'autre. Parlez, mon garçon.

– Je ne suis pas un élève, monsieur, ai-je rectifié. Je viens de la part de Laurent Olifant. L'opticien.

J'ai plongé la main dans la quatrième poche de mon gilet de braconnier et en ai sorti une petite boîte à charnières.

– Monsieur, voici la livraison que vous attendiez, je crois.

– Vraiment ? s'est exclamé le directeur. Oh, quel bonheur !

J'ai posé la boîte dans sa paume et je l'ai vu manier le couvercle avec maladresse avant de réussir à l'ouvrir, d'en retirer les lunettes et de les mettre. Elles avaient une monture d'acier ; chaque verre était constitué de deux demi-lunes assemblées. Il les a remontées sur son nez, puis a cligné des yeux.

– Oh ! C'est merveilleux ! s'est-il écrié. Absolument merveilleux !

Il a examiné sa lettre interrompue.

– Je vois de près et…

Sourire radieux aux lèvres, il a jeté un coup d'œil sur votre serviteur.

– Et je vois que vous n'êtes pas un élève, mais un coursier ; un excellent coursier, qui plus est ! Monsieur…

– Destoits, lui ai-je rappelé. Edgar Destoits.

Il a quitté son fauteuil et m'a tendu la main. Je l'ai prise et serrée avec chaleur.

– Edgar Destoits ! a-t-il gloussé. Ravi de faire votre connaissance, jeune homme.

Il a repris sa lettre, l'a inspectée, puis mise de côté ; ensuite, il a promené son regard sur la pièce.

– Oh, quelle différence avec la paire que j'ai cassée ! a-t-il déclaré. Ce monsieur Olifant est un génie de l'optique. Il m'avait garanti une livraison pour aujourd'hui après la classe ; or vous voici, monsieur Destoits, et il n'est pas encore midi. J'apprécie votre efficacité !

Il s'est tu un moment, a ôté ses lunettes et les a essuyées, pensif, avec un grand mouchoir blanc, puis les a replacées sur son nez.

– Pourrais-je vous convaincre, a tenté le directeur, d'accepter une commission de ma part, monsieur l'envoyé tic-tac ? Le problème, voyez-vous, a-t-il continué en m'invitant à m'asseoir, c'est que j'ai bien trop de travail pour quitter mon bureau hors des vacances scolaires, et que je reçois de temps en temps des caisses et des colis qu'il faut aller chercher sur les quais. Des marchandises très délicates, qui nécessitent le plus grand soin…

J'ai hoché la tête en m'interrogeant sur le contenu précis de ces caisses et colis.

– Mais, d'après mon expérience, quand je demande à d'autres de s'en charger, je le regrette, a-t-il déploré avec tristesse. Ils font tomber les boîtes ; ils les secouent et les posent à l'envers. Ils se moquent de leur contenu et de sa fragilité.

Il a souri.

– Contrairement à vous, monsieur Destoits. Car vous venez de me livrer une paire de lunettes fragiles en parfait état. Si vous pouviez faire de même avec mes petits… colis, je vous en serais très reconnaissant.

– J'accepterais avec plaisir, monsieur le directeur. Mais ces colis... exigent-ils vraiment les plus extrêmes précautions ? me suis-je enquis.

Archimède Berris s'est penché et m'a effleuré le bras.

– Si vous voulez bien me suivre, je vais vous montrer, a-t-il dit.

Sortant de son bureau, nous avons emprunté le corridor, puis l'escalier jusqu'au deuxième étage.

– Les élèves n'ont pas le droit de venir ici sans surveillance, m'a-t-il précisé alors qu'il traversait un long vestibule, couvert d'un luxueux tapis d'Orient.

Il s'est arrêté devant une grande porte épaisse annonçant *PRIVÉ*, dont il a saisi la poignée.

– Après vous, monsieur Destoits.

D'un geste ample, il a ouvert la porte et m'a introduit dans la pièce.

Celle-ci, très allongée, avait un haut plafond voûté ; au bout s'ouvraient deux grandes fenêtres. Des rayons de soleil se répandaient, obliques, et emplissaient les lieux d'une lumière jaune étonnamment riche. Contre les murs, réduisant presque la pièce (déjà étroite) à un couloir, s'alignaient des vitrines. Des dizaines de vitrines. Elles se succédaient, montant bien au-dessus de ma tête tandis que je m'avançais entre elles et regardais au passage leur contenu éclatant de couleurs.

Des oiseaux.

Des centaines et des centaines d'oiseaux. Tous amoureusement empaillés et placés dans un décor naturaliste : buissons ou arbres, rochers ou broussailles des sables. Certains se tenaient perchés, leurs pattes accrochées aux branches et aux brindilles ; d'autres étaient présentés en vol, leurs ailes déployées suspendues par des fils invisibles.

Chacune des vitrines portait une étiquette (collée, inscrite en lettres italiques noires soignées) qui détaillait le nom et le pays d'origine des différents spécimens. Des gros et des petits oiseaux. Des mâles et des femelles. Des oiseaux du désert et de la jungle ; des oiseaux qui vivaient près de l'océan. Des espèces communes, discrètes, et des variétés exotiques de grande taille, au plumage éblouissant, à crête et à ergots.

Il y avait des perruches et des loris, et d'énormes aras bigarrés. Il y avait de gigantesques autruches hirsutes et de minuscules colibris irisés. Il y avait d'élégants flamants aux plumes rose corail ; des cigognes et des grues et des serpentaires aux plumes en bataille. Il y avait des fauvettes et des avocettes, des martins-pêcheurs et des martins-chasseurs, et des paons qui faisaient la roue. Il y avait des cygnes, des mouettes et des chouettes de toutes sortes ; des aigles et des vautours...

Et tous – sans exception – étaient aussi morts que des canards criblés de balles !

– Ne sont-ils pas magnifiques ? s'est enthousiasmé Archimède Berris.

Le directeur a vu l'expression de mon visage et cru lire de l'émerveillement, car il a eu un sourire radieux.

En réalité, le spectacle de ces si nombreuses créatures splendides piégées et tuées afin d'être conservées derrière des vitres me désolait. Mais j'étais un envoyé tic-tac et mon opinion sur le petit passe-temps du directeur n'importait pas. S'il avait besoin de quelqu'un pour réceptionner ses précieuses perruches et les lui livrer en bon état, j'étais l'homme de la situation.

– Ne sont-ils pas magnifiques ? s'est enthousiasmé Archimède Berris.

J'ai hoché la tête.

– Mais ils exigent des précautions, monsieur Destoits, et je ne doute pas que vous les mesurez au mieux à présent, a-t-il déclaré, rassemblant ses idées. L'ornithologie, vous le voyez, me consume corps et âme. Ma collection s'enrichit sans cesse de nouvelles pièces que m'expédient des relations du monde entier. Si vous, monsieur l'envoyé tic-tac, pouvez aller chercher ces oiseaux sur les quais et les apporter intacts jusqu'ici, je vous en serai éternellement reconnaissant. Et, bien sûr, je vous paierai une coquette somme pour vos services.

Ces oiseaux empaillés comptaient encore plus, semblait-il, que les élèves dont il avait la charge. Mais il faut de tout pour faire un monde. Et puis, de quel droit le jugeais-je ?

– Merci, monsieur le directeur, ai-je dit. Vous pouvez être tranquille, pas une plume de leur fragile tête ne sera ébouriffée.

C'était manifestement ce qu'Archimède Berris voulait entendre, car il a eu un grand sourire.

– Alors, marché conclu. Cela tombe très bien, monsieur Destoits, puisqu'une livraison doit arriver la semaine prochaine : un spécimen qui s'annonce peu ordinaire, je suis sûr que vous en conviendrez…

– Oui ? ai-je dit, intrigué.

– Le catzicatapetl, a déclaré le directeur, ce qui, en toltèque ancien, signifie…

Il s'est interrompu, un sourire rêveur jouant sur ses lèvres.

– Le messager émeraude des ténèbres.

CHAPÎTRE 3

Une semaine plus tard, j'ai exécuté les instructions que le directeur m'avait données. Nous
étions mardi et j'avais passé la matinée à effectuer
mes tâches habituelles : recueillir des quittances, apporter des bordereaux, transférer des documents d'un
lieu à un autre, voltigeant sur les toits charbonneux
sans une minute pour souffler.

Je me suis mis en route après un repas léger : du
pain, du fromage et une pomme, que j'ai mangés assis
sur le dôme du palais de justice, le dos calé contre la
statue dorée avec son glaive dans une main et sa balance dans l'autre – balance qui contenait un trognon
de pomme lorsque j'ai eu fini. C'était une nouvelle
journée radieuse, même si un vent piquant venait de
l'est. Le voile de fumée qui flottait en permanence au-
dessus des quartiers pauvres de la ville était, pour une
fois, poussé vers l'ouest chic.

Je me suis dirigé, face au vent, du côté de la Darsène, long rectangle d'entrepôts et de quais entre les chantiers de bois de la Compagnie batave orientale d'import-export et le phare trapu du Ramel, construit pour éviter aux vaisseaux de s'échouer dans la vase lorsqu'ils arrivaient ou repartaient. En une petite douzaine d'années, la Darsène s'était métamorphosée : le modeste abri de pêcheurs, où les chalutiers déchargeaient leurs prises, était devenu un vaste port animé, aux jetées bordées de nombreux navires marchands, cargos, clippers et felouques venus des quatre coins du monde. Les marchés aux poissons et les boutiques en bordure de rivière avaient disparu au profit de grands entrepôts et de parcs à bestiaux, tandis que l'eau elle-même, jadis scintillante, limpide et poissonneuse, était aujourd'hui souillée, marron, sans vie.

Pourtant, j'aimais cet endroit. Il m'avait toujours plu.

Jeune garçon, je venais souvent ici voir les bateaux qui accostaient pour débarquer leurs marchandises et en charger d'autres. Avec ses larges quais, ses immenses jetées et ses grands entrepôts, ce lieu exerçait sur moi une éternelle fascination. Assis à l'extrémité d'une passerelle en bois grinçante, je regardais pendant des heures le trafic incessant.

Les barges à charbon, par exemple, étaient accueillies par des groupes d'hommes en blouses sales et de femmes chargées de paniers, qui assuraient le

convoyage vers la terre ferme. Des vaisseaux, fourmillant de matelots et de marins, allaient et venaient,
mouillaient côte à côte, les cris insistants des capitaines accompagnant leurs manœuvres. Les clippers
et les cargos grouillaient de dockers qui transbor-
daient les produits sur les chalands et les canots
voisins et les transportaient jusqu'aux quais plus en
amont. De hautes grues squelettiques chargeaient et
déchargeaient les navires, les balles de marchandises
oscillaient dangereusement au bout de cordes nouées
dans un nouveau concert d'appels et d'ordres toni-
truants.

De temps en temps, *crac !* une corde se rompait,
sifflante, et la caisse tombait vers le quai en contrebas.
Là, elle se fracassait et répandait son contenu. Alors,
comme une colonie de fourmis sorties de nulle part,
des femmes et des enfants accouraient, ramassaient
ce qu'ils pouvaient trouver (mangues ou mantilles,
boutons, balles, bottes ou rouleaux de cotonnade), ca-
chaient leurs trésors dans les guenilles volumineuses
qu'ils portaient pour l'occasion et décampaient.

Lorsque je suis arrivé ce jour-là, j'ai vu l'imposant
aigle en pierre qui surmontait l'entrepôt principal de
la Compagnie batave orientale d'import-export. Lui,
au moins, était resté. Par ailleurs, il ne demeurait
presque rien du décor de mon enfance. Le fouillis des
masures de pêcheurs avait disparu au profit de gigantesques constructions semblables à des forteresses,

avec portail en fer et hauts murs en brique, tandis que la rivière elle-même était domptée, transformée, la vase en grande partie asséchée, de vastes lagunes artificielles créées.

Et les navires ! Occupant le moindre espace, ils se comptaient par centaines. Bacs et barges, gabares, galiotes et youyous ; et les plus gros – les clippers et les navires marchands – avaient une taille bien plus considérable que dans mon enfance. Ces monstres arboraient des noms exotiques : *La Reine Mahavashti*, *La Macranda dorée*, *Le Transatalante*. Mon préféré, *La Princesse Pascalina*, était un énorme vaisseau qui fonctionnait au charbon ou à la voile, embaumé par les senteurs d'épices exotiques qui se dégageaient de ses caisses, venues des lointaines îles des Maccabées, en mer d'Orient.

J'ai suivi le quai, m'imprégnant du décor, des odeurs, des clameurs, et cherché le vaisseau qui, d'après les indications de M. Berris, devait être au mouillage, en train de décharger. Appelée *L'Ipanema*, cette goélette à deux mâts en provenance de Valdario apportait une cargaison de teck et d'huile de coco. Mais ces marchandises n'intéressaient pas le directeur.

Il me fallait trouver le capitaine, qui aurait un spécimen soigneusement empaqueté au nom d'*Archimède Berris*. À en juger par le billet de banque glissé dans la poche de mon gilet, ce capitaine Luis Fernandez allait recevoir une jolie somme pour sa peine.

– Catzicatapetl, ai-je murmuré, pensif, en longeant deux gros remorqueurs à vapeur, *Gargantua* et *Pantagruel*.

À peine avais-je prononcé ce mot que l'air a semblé fraîchir et le ciel se voiler. J'ai promené mon regard sur le port et constaté qu'une nappe de brouillard arrivait par la rivière, comme un tapis gris qui se déployait.

En quelques minutes, un épais brouillard jaune a noyé les entrepôts et les quais de la Darsène. Ces brusques brouillards marins (surnommés « purée de poissons ») n'avaient rien de nouveau. Se mêlant à la fumée des usines et des milliers de chauffages domestiques, ils pouvaient être particulièrement denses et âcres sur les docks.

Dans ma profession d'envoyé tic-tac, je détestais la « purée de poissons ». Même les itinéraires les mieux connus devenaient hasardeux quand le brouillard s'installait. Une rue latérale manquée, une borne oubliée, et le voyageur sans vigilance se perdait en un clin d'œil ; une fois hors du sentier battu, il constituait une proie facile pour les bandits, les voyous et les voleurs à la tire. Pire encore, ses appels à l'aide – ainsi que le boniment des vendeurs du marché, les cris des cochers, les aboiements de chiens et miaulements de chats – étaient si étouffés que personne ne les entendait.

Oui, quand le brouillard tombait, la ville devenait âpre et menaçante ; lieu de sombres secrets, de murmures plus sombres encore, où le bruit des pas disparaissait. Là-haut sur les toits, le lourd couvercle de brouillard nauséabond pesait aussi. Chaque foulée se transformait en défi, chaque trajet en aventure, et il était presque impossible de voltiger, même pour un envoyé tic-tac expert comme votre serviteur.

Cependant, parfois, à la cime des plus grandes tours et flèches, le ciel se dégageait soudain. Depuis ces hauteurs incomparables, on voyait alors au-dessous de soi le brouillard jaune qui ondulait et roulait comme un océan sale, tandis qu'émergeaient de tous côtés, tels les mâts de navires échoués, les sommets d'autres édifices, autant de repères.

Mais en bas sur les docks, je n'avais pas la moindre chance. J'ai remonté mon col, enfoncé mon haut-de-forme et continué ma route avec précaution, tapotant les planches avec ma canne-épée.

Un peu plus loin, je me suis arrêté près d'un gigantesque clipper, *L'Océanie*. Des lumières brillaient sur le pont, floues dans le brouillard mais assez vives pour que je distingue les silhouettes d'une demi-douzaine de matelots vaquant à leurs occupations.

– *L'Ipanema* ! Je cherche *L'Ipanema* ! ai-je crié à un vieux marin en suroît ciré.

– Troisième vaisseau que vous rencontrerez, l'ami. Vous ne pouvez pas le rater ! a-t-il répondu avec un joyeux salut.

– Merci ! ai-je lancé en repartant.

Le brouillard était désormais si compact que j'avais du mal à voir ma propre main devant mon visage, sans parler de déchiffrer les noms des formes sombres dont je supposais que c'étaient des bateaux.

Un, deux… trois, ai-je compté, m'approchant d'une proue noire imprécise.

– *Ipanema*…

Une étrange voix désincarnée, moitié cri, moitié chuchotement, a résonné près de mon oreille.

Je me suis figé ; un frisson d'appréhension m'a parcouru l'échine.

– Qui est là ? ai-je demandé dans le brouillard tournoyant.

Pas de réponse. Serrant ma canne-épée, je me suis dirigé vers le vaisseau indistinct et, à force de tapoter les planches, j'ai déniché le bord de la plate-forme et les premiers barreaux d'une échelle. Avec précaution, j'ai gravi les barreaux instables et posé le pied sur un pont désert, sinistre.

– Ohé ! ai-je appelé dans le brouillard cotonneux. Il y a quelqu'un ?

Sur mes gardes, je suis monté jusqu'au gaillard d'arrière, et je m'apprêtais à pousser la porte d'une cabine sans lumière lorsqu'un personnage a émergé du brouillard devant moi. Je me suis trouvé face à un regard éteint. Dans la pénombre, je discernais tout juste le brocart usé d'une redingote de marin aux boutons de cuivre, et une casquette abîmée avec un beau « I » brodé sur son ruban.

Je me suis trouvé face à un regard éteint.

– Capitaine ? ai-je demandé.

En guise de réponse, le personnage m'a fourré dans les mains une petite caisse en bois, de la taille d'un carton à chapeaux. Comme je la prenais, j'ai senti, tressaillant, les doigts glacés du capitaine effleurer les miens.

Tout tremblant, j'ai fouillé dans la poche de mon gilet à la recherche du billet que m'avait confié le directeur, lorsque le personnage a reculé, vacillant, dans le tourbillon de brume et semblé disparaître.

J'étais à présent épouvanté, transi et grelottant comme un canard plumé. J'ai sorti le billet et, m'accroupissant, trouvé un crochet à mes pieds. L'ayant ramassé, j'ai épinglé le billet à la porte de la cabine et fui au plus vite.

Sans me retourner, le cœur continuant de battre la chamade, je me suis éloigné sur la plate-forme, la caisse bien coincée sous le bras. À ce moment, le brouillard s'est déchiré aussi subitement qu'il était arrivé ; le temps que je revienne à la hauteur de *L'Océanie*, le soleil perçait à travers les volutes de plus en plus fines. Comme je lançais un coup d'œil pardessus mon épaule, désireux de mieux voir le vaisseau fantôme que je venais de quitter, j'ai heurté de plein fouet le vieux marin en suroît.

– Hé ! Doucement, fiston ! s'est-il exclamé, retrouvant l'équilibre et rattrapant la caisse qui m'avait échappé.

Il me l'a rendue tandis que je m'excusais de ma gaucherie, et j'ai repris ma route en hâte.

C'est seulement lorsque les docks ont été loin derrière moi, la caisse bien rangée dans la musette à mon épaule, que je me suis accordé une pause au faîte d'une toiture.

Là-bas, sous le ciel bleu, la forêt de mâts rassemblés le long des quais de la Darsène brillait au soleil. Au second plan, descendant la rivière, se découpait la forme sombre d'une goélette à deux mâts. Cette image m'a rempli d'un frisson glacé ; baissant les yeux, j'ai alors découvert que la paume de ma main droite était poissée de sang.

CHAPITRE 4

É tait-ce le brouillard glacial qui m'avait transi jusqu'à la moelle ? Était-ce le sinistre navire avec son capitaine au visage hagard qui m'avait complètement épouvanté ? Était-ce la vue de ma main, tachée du sang d'un autre, qui m'avait ébranlé au plus haut point ? En tout cas, voltiger des docks de la Darsène au manoir Fougeraie cet après-midi-là s'est révélé très difficile.

En escaladant un tuyau qui ne présentait aucune difficulté, j'ai glissé, je me suis égratigné les doigts et j'ai troué le genou de mon pantalon. J'ai trébuché sur des tuiles faîtières et il s'en est fallu d'un cheveu que je ne tombe dans l'ouverture d'une lucarne. Enfin, honte suprême pour un envoyé tic-tac aussi expérimenté que moi, j'ai raté une galipiote enfantine, dépassant le dernier pignon et allant m'étaler sur le toit plat voisin.

Par bonheur, j'avais d'instinct protégé de mon bras la musette contenant le paquet du directeur. Pourtant, même s'il n'y avait pas de dégâts, tandis que je me redressais et que je m'époussetais, j'enrageais de m'être montré aussi stupide. Archimède Berris comptait sur moi pour lui livrer ce spécimen en parfait état, et je n'avais pas l'intention de trahir sa confiance.

Résolu à prendre bien davantage de précautions pour le restant du trajet, j'ai adopté un rythme plus tranquille et je suis arrivé à l'école du manoir Fougeraie une petite heure après sans autres mésaventures. La soirée s'annonçait lorsque j'ai atteint le portail. Le soleil, bas dans le ciel, projetait d'immenses ombres sur les terrains de l'école et donnait aux murs gris clair la couleur du miel épicé. La « purée de poissons », si dense et si âcre sur les docks, n'était plus qu'un lointain souvenir, et avec elle, croyais-je, les horreurs qui m'avaient tant déstabilisé sur les quais.

J'ai lancé un bonjour jovial au concierge. Il a soulevé sa casquette et m'a fait signe de pénétrer dans l'enceinte. Une nouvelle partie de pelote battait son plein sur le terrain principal, accompagnée de cris et d'ovations d'un public qui semblait presque réunir l'école entière. Comme je longeais les saules oscillants et les chênes majestueux, les voix réjouies emplissant l'air – scandant, riant, chantant –, la formidable chance des élèves du manoir Fougeraie m'est apparue, de même qu'à ma première visite.

– Entrez ! a répondu Archimède Berris lorsque j'ai frappé à la porte de son bureau.

J'ai tourné la poignée et trouvé le directeur assis à sa table de travail, une loupe dans la main, un gros ouvrage relié de cuir ouvert devant lui. Il a levé les yeux.

– Edgar ! s'est-il exclamé. Quelle rapidité ! Je vous félicite, mon garçon.

Il a tapoté du doigt une magnifique gravure de l'ouvrage.

– *Les Oiseaux des forêts tropicales humides* d'Audry-Lévêque, planche numéro soixante-treize : le Catzica-tapetl, a-t-il murmuré avec respect, ou le messager émeraude des ténèbres. Il porte le nom du terrible dieu toltèque, maître des enfers et seigneur du chaos.

Il a braqué son regard sur moi.

– Savez-vous combien cet oiseau est rare ?

J'ai répondu par la négative pendant que j'ouvrais ma musette et en sortais la caisse d'un geste précautionneux.

– Bien sûr que non. Comment le pourriez-vous ? a gloussé le directeur, s'emparant de la caisse et examinant de près ses faces en bois. Veuillez m'excuser, Edgar, je dois me rendre sur l'heure en salle des oiseaux et extraire de sa boîte notre illustre invité avec le plus grand soin possible… Tenez.

Il a cherché dans son gilet et en a tiré trois gros billets, qu'il m'a mis dans la main.

– Mais, monsieur le directeur, ai-je protesté, c'est beaucoup trop…

– Pensez-vous ! m'a lancé Archimède Berris par-dessus son épaule, écartant mes objections tandis qu'il se précipitait hors de son bureau et s'engageait dans le couloir. Vous avez fait la joie d'un vieil orni-thologue.

J'ai secoué la tête alors que je me dirigeais vers la sortie, les billets bien pliés dans la poche supérieure gauche de mon gilet de braconnier. J'aurais voulu parler de l'étrange navire et de la tache de sang sur ma main, mais le directeur ne m'en avait pas laissé le loisir. Il était simplement ravi de recevoir son précieux oiseau, sans poser de questions.

Et s'il était satisfait, eh bien, je l'étais aussi. J'avais touché une belle somme pour ma peine, *L'Ipanema* était reparti et le directeur avait son colis.

Affaire classée. Du moins le croyais-je…

Je n'aurais pas pu me tromper davantage si j'avais placé une souris en guise d'appât dans un piège à éléphant. Mais par cette belle soirée ensoleillée, alors que je traversais les pelouses du manoir Fougeraie en direction du portail, je n'en savais rien.

Comme je longeais le terrain principal, une plainte a jailli de la foule. Jetant un coup d'œil, j'ai aperçu un garçon en tenue de flanelle tachée d'herbe se tordre au pied d'une cible, les mains plaquées sur le front. Une lourde balle en cuir était immobile près de sa jambe droite. Un sifflement strident a retenti et un grand homme robuste aux cheveux hirsutes, aux joues roses et aux yeux bleu pâle s'est approché à grandes enjambées.

– Bel arrêt, Tixiol, a-t-il lancé, sarcastique. Mais la prochaine fois, tâchez de bloquer la balle avec les mains, plutôt qu'avec la tête !

Des ricanements ont fusé parmi les élèves qui regardaient le grand professeur d'éducation physique toiser le joueur. C'était le jeune blond qui m'avait guidé lors de ma première visite.

– Allons, Tixiol !

De sa botte boueuse, le professeur a poussé le garçon recroquevillé.

– Cessez de vous rouler par terre comme une demoiselle de Beauchamp qui a des vapeurs...

Je me suis frayé un chemin dans la foule et agenouillé près de mon ami blessé. Avec douceur, je lui ai écarté les mains et j'ai examiné l'arcade très enflée au-dessus de son œil gauche.

– Il vaudrait mieux quitter le jeu et montrer cette bosse à l'infirmière, ai-je conseillé à Tixiol qui battait des paupières, l'air assommé.

– Debout ! s'est fâché le professeur. Tout de suite !

– O-o-oui, monsieur Cnême, a marmonné Tixiol, essayant de se relever.

Je l'ai aidé à se hisser sur ses pieds, chancelant.

– Ce garçon n'est pas en état de continuer, ai-je protesté.

M. Cnême a fait volte-face, le visage rouge de colère réprimée.

– Le professeur ici, c'est moi ! a-t-il crié. Et c'est moi qui juge si quelqu'un peut ou ne peut pas continuer. Tixiol sera le cinquième joueur de son équipe à frapper la balle, sans quoi la chambrée de l'Ibis perdra la partie !

– Non, pas si je le remplace, l'ai-je amadoué, ôtant ma veste et retroussant mes manches de chemise.

Le public m'a acclamé tandis que le professeur pestait contre les changements, les règles de deuxième mi-temps, et objectait qu'il ne m'avait encore jamais vu sur le terrain de pelote.

– Je m'appelle Destoits, lui ai-je dit, adressant un clin d'œil à Tixiol que l'on emmenait vers la touche, et je suis nouveau, en quelque sorte.

Le public a manifesté son approbation. M. Cnême a donné un coup de sifflet et crié :

– Bon, eh bien, en piste, Destoits !

Je me suis approché du cercle, j'ai ramassé la batte et promené mon regard sur le terrain. À ce que j'avais compris durant ma brève observation du jeu, je devais frapper l'une des cibles sur le champ extérieur, où un défenseur patientait avec un filet à long manche. Le tir déterminerait la durée de la course que je pourrais effectuer librement de base en base avant que mes adversaires aient le droit de me faire obstacle avec leurs cinq maillets (ou « écraseurs d'orteils »). Si le défenseur attrapait la balle, je serais éliminé, et la partie se terminerait.

J'ai jeté un regard vers M. Cnême. À la lueur qui éclairait ses yeux bleu pâle, j'avais l'impression qu'il était résolu à me donner une leçon. Dans sa position d'arbitre, il n'aurait aucune difficulté.

Un silence s'est installé tandis que le lanceur s'avançait sur le terrain. La cible la plus lointaine me permettrait d'atteindre la troisième base avant que les tacleurs aient le droit de bouger. C'était ma meilleure chance.

J'ai fait un signe de la tête, et le lanceur a envoyé une vilaine balle tournoyante dans ma direction. J'ai reculé, pour l'ampleur du geste, puis j'ai brandi la batte de toutes mes forces en un arc gracieux.

Clac !

La batte et la balle se sont rencontrées comme prévu, et la foule a poussé des oh ! et des ah ! tandis que la balle volait au-dessus du défenseur et percutait la cible de la troisième base. Lâchant la batte, j'ai entamé le tour des bases à vive allure pendant que les tacleurs, rivés à leur place, attendaient comme des lévriers enchaînés observant un lièvre affolé.

Tuuuiiiiii !

J'ai reculé, puis j'ai brandi la batte de toutes mes forces en un arc gracieux.

Le sifflet de Cnême a retenti à l'instant où mon pied touchait la troisième base. Un rien trop tôt, me suis-je dit – mais ce n'était pas le moment de me plaindre : des quatre coins du terrain, les cinq tacleurs se précipitaient vers moi, agitant leurs maillets à hauteur de genou.

Hop !

J'ai sauté par-dessus le premier maillet et en ai évité un deuxième. Les troisième et quatrième tacleurs ont heurté le cinquième dans leur impatience à provoquer ma chute. La base de départ était devant moi. Sur la touche, les membres de la chambrée de l'Ibis poussaient des hourras et lançaient leurs chapeaux à pompon en l'air. Je m'apprêtais à marquer un point, avec bonification par-dessus le marché !

Soudain, sortant de nulle part – comme un mur de brique ou une cheminée noyée dans le brouillard –, M. Cnême s'est dressé face à moi, sa figure cramoisie et hargneuse en avant, ses immenses mains roses ouvertes. C'était de l'obstruction pure et simple, mais puisqu'il était l'arbitre, protester n'avait pas de sens. Alors, au dernier moment, j'ai effectué une galipiote d'une perfection absolue, entre les jambes de ce grand malotru, et je me suis redressé.

Boum !

Le professeur a mordu la poussière dans mon dos avec un cri de rage pendant que je ralliais la base de départ… sous les félicitations de mes coéquipiers !

Je les ai laissés savourer la victoire et je me suis esquivé avant que le vieux Cnême ne pose des questions embarrassantes. J'étais de retour dans le cœur fourmillant de la ville à l'heure où les crieurs de journaux proposaient les éditions du soir.

– Découvrez l'affaire en détail ! claironnaient-ils par-dessus le brouhaha des voix et le fracas des roues de calèches. Un navire fantôme échoué dans la vase !

Malgré ma fatigue et mon envie d'aller me coucher, cette nouvelle a évidemment retenu mon attention. Je me suis arrêté près d'un vendeur pour acheter un journal. Immobile sous le réverbère au coin de la ruelle du Seau-à-Charbon, j'ai eu toutes les peines du monde à empêcher mes mains de trembler tandis que je lisais l'article imprimé à l'encre noire.

Une équipe de pêcheurs a découvert ce matin, échoué dans la vase au sud du phare du Ramel, un navire marchand à voiles, L'Ipanema. Le bateau était désert, visiblement abandonné par l'équipage entier. Tout laissait supposer un départ confus et précipité : tables renversées, assiettes à moitié pleines et, bizarrerie suprême, un billet de banque

épinglé à la porte de la cabine du
capitaine par un crochet ensan-
glanté...

CHAPITRE 5

Inutile de le dire, je n'ai pas beaucoup dormi cette nuit-là dans ma mansarde, et des rêves de navires fantomatiques, de capitaines hagards et de crochets ensanglantés ont troublé ces bribes de sommeil. Lorsque j'ai enfin quitté mon lit et jeté de l'eau sur mon visage, je savais qu'une décision s'imposait.

Devais-je informer les autorités de ma visite à *L'Ipanema* ? Ou devais-je retourner voir Archimède Berris et lui raconter ce qui m'était arrivé ? Plus je réfléchissais, moins il me semblait judicieux d'agir ainsi. Au fond, qu'avais-je réellement vu ? Un capitaine affolé et un crochet taché de sang. Je n'avais aucune idée de l'endroit où le capitaine et son équipage se trouvaient à présent.

Si je me rendais, moi, humble envoyé tic-tac, auprès des autorités portuaires et leur faisais un récit pareil, n'essaieraient-elles pas de le déformer ?

Peut-être même me jugerait-on suspect. Et pour quoi ? Une caissette contenant un oiseau émeraude.

Quant au directeur, s'il lisait l'article dans le journal, libre à lui d'effectuer une démarche, mais je ne pensais pas qu'il le ferait. Il avait son précieux spécimen et il s'en félicitait, à l'évidence. J'ai vu ma part d'événements étranges et tragiques dans cette grande ville tumultueuse – depuis les égouts infestés de salamandres carnivores jusqu'aux toits hantés par des loups de la nuit sanguinaires. En comparaison, un équipage qui désertait son navire paraissait bien insignifiant.

Néanmoins, quelque chose dans ce vaisseau abandonné et cette voix désincarnée au cœur du brouillard continuait de me préoccuper. Tout compte fait, j'ai résolu de mener une recherche sur les navires fantômes et les mystérieux présages lors de mon prochain passage à la bibliothèque d'Inframont pour les érudits de l'Arcane. Mais il fallait d'abord que j'aille voir mon cher ami le professeur Rosier-Desgranges, qui m'avait appelé pour une affaire assez urgente.

J'ai voltigé à travers la ville jusqu'au grand bâtiment universitaire où il travaillait. Une petite bruine s'est mise à tomber avant que j'atteigne la haute tourelle couverte d'ardoises. J'ai emprunté le fin tuyau de descente cannelé, pris contact en souplesse avec un rebord de fenêtre du troisième étage et pénétré dans le laboratoire du professeur.

Le professeur Rosier-Desgranges (RD pour ses proches) était au fond de la pièce, courbé au-dessus du fouillis de sa table, un œil collé à son microscope.

– Bonjour, RD, ai-je lancé.

Le professeur a dressé la tête, secouant sa chevelure blanche hirsute.

– Oh, Edgar, c'est vous. Serait-ce trop vous demander que d'entrer par la porte, une fois de temps en temps ?

Il s'est levé, poussant une petite plainte et maugréant contre sa « vieille carcasse douloureuse », et a contourné sa table.

– RD, ai-je dit alors qu'il s'approchait, votre sourcil !

Le professeur a aussitôt porté la main à son front et frotté l'arcade dégarnie au-dessus de son œil gauche.

– Oui, oui, a-t-il murmuré. Un accident plutôt regrettable avec un brûleur à gaz. Mais je suppose que les poils repousseront...

Je l'espérais. L'expression du professeur, figée dans une demi-surprise, était fort perturbante.

– Bref, ce n'est qu'un détail, a-t-il poursuivi, et nullement ce pour quoi je vous ai fait venir, Edgar. J'ai un travail assez urgent pour vous.

J'ai hoché la tête.

– Toujours heureux de rendre service, ai-je dit.

– J'ai une théorie... a commencé le professeur, et je n'ai pu m'empêcher de sourire.

Si j'avais reçu un œuf de colvert chaque fois que j'entendais cette phrase, j'aurais pu faire une omelette de la taille d'une mare aux canards. Le professeur échafaudait sans cesse des théories extravagantes : tout et n'importe quoi, depuis l'idée que les campagnols devenaient bipèdes à cause des broussailles qui envahissaient les sentiers le long du canal jusqu'aux bouvreuils qui attaquaient les chats après avoir ingurgité le fruit du fragolier oriental. La plupart de ces hypothèses se révélaient sans fondement, et j'étais bien placé pour le savoir, car le professeur m'employait à les vérifier.

Mais je ne devrais pas me montrer aussi incrédule. De temps à autre, le professeur tapait dans le mille. Comme lorsqu'il avait démontré que les gésiers distillés du lagopède arctique pouvaient guérir une grave inflammation cérébrale – théorie que j'ai été personnellement ravi d'établir…

– Ah oui ? ai-je dit, réprimant mon sourire.

– Je vous le confirme, Edgar, a déclaré le professeur, me regardant avec sa nouvelle expression interrogatrice. Voici : le tas de blouses sales que j'accumule en une semaine doit attendre à cette heure, fraîchement lavé et expertement repassé, à la blanchisserie de la Fleur de lotus, dans le quartier chinois…

Il a fouillé dans la poche de la blouse indéniablement tachée, pour ne pas dire roussie, qu'il portait alors, et en a sorti un ticket de blanchisserie froissé.

– Auriez-vous l'amabilité de prouver l'exactitude de ma théorie ? a demandé le professeur en riant.

– Avec plaisir, RD ! ai-je répondu.

J'ai saisi le ticket et je me suis esquivé par la fenêtre. Alors que je grimpais le long du tuyau, j'ai entendu le professeur crier dans mon dos :

– Et rappelez-moi de vous exposer ma théorie sur les portes et les fenêtres, à l'occasion...

J'ai voltigé en un clin d'œil jusqu'à ma destination, contournant le Nid de guêpes et traversant le secteur des théâtres. La pluie avait cessé ; je suis arrivé dans le quartier chinois sous le soleil. D'un bond ambitieux, j'ai quitté le pignon d'un haut hospice et atteint le toit de la blanchisserie de la Fleur de lotus, un peu hors d'haleine, mais sans une égratignure.

Je me suis assis un moment sur le large toit en pente aux tuiles vernissées vertes afin de reprendre mon souffle. Puis, comme j'avais l'estomac creux, j'ai sorti un petit sac de la poche gauche de ma veste et une bouteille de boisson pétillante au gingembre de ma poche droite. Dans le sac se trouvait un paquet chaud enveloppé. J'ai déplié avec précaution le papier sulfurisé. Au fur et à mesure, le feuilleté qu'il contenait a répandu ses merveilleux arômes – arômes si exquis que j'en ai eu l'eau à la bouche. Le feuilleté était un croque-chauffeur, conçu spécialement pour les hommes qui travaillaient aux grands fourneaux à charbon.

J'avais eu la bonne idée de l'acheter sur le trajet du laboratoire. Car, ai-je raisonné tandis que je prenais une bouchée, ne fallait-il pas que je préserve mes forces ?

J'ai de nouveau mordu dans la partie décorée d'une feuille en pâte. Cette moitié-ci, salée, se composait d'un mélange d'agneau, de carottes et de navets. J'ai continué à mordre dedans, essuyant avec mon mouchoir la sauce qui me coulait sur le menton. Puis, lorsque j'ai atteint la petite cloison de pâte qui divisait le feuilleté en deux, j'ai fait une pause, débouché la bouteille de boisson pétillante et bu une longue gorgée. La seconde moitié du feuilleté était garnie d'une compote de pommes aux épices, ruisselante de sirop et truffée de raisins secs dodus.

– Excellent, ai-je murmuré.

J'ai chassé les miettes accrochées à mon gilet, terminé la boisson, et je me suis levé.

C'est curieux qu'un repas aussi simple, pris sur les toits sous le chaud soleil de la matinée, se soit gravé ainsi dans ma mémoire. Il demeure pourtant inoubliable. Peut-être parce que je l'associe à l'un des épisodes les plus marquants de ma vie et à la rencontre avec quelqu'un qui allait me changer à jamais. Aujourd'hui encore, il suffit que je sente le parfum d'un croque-chauffeur pour être ramené dans le quartier chinois, à la blanchisserie de la Fleur de lotus, par cette journée décisive…

Descendant du toit, je suis arrivé dans un passage latéral, que les bouches d'aération de la blanchisserie rendaient chaud et humide, et j'ai franchi l'angle pour entrer par l'avant du magasin. La grande rue ouest, artère principale du quartier chinois, était aussi animée que d'habitude. Des boutiques de toutes sortes grouillaient de gens, comme les myriades d'éventaires qui bordaient la vaste chaussée.

Changeurs, diseurs de bonne aventure, écrivains publics et oiseliers hélaient le client au côté des herboristes, des marchands de soie et des fabricants de feux d'artifice. Même si je traversais souvent le quartier chinois, je ne me lassais pas de son spectacle : ses temples bariolés aux statues peintes de couleurs vives, les odeurs délicieuses montant des réfectoires en sous-sol et les lanternes rougeoyantes qui décoraient les moindres embrasures et linteaux.

Je me suis arrêté pour récupérer le ticket du professeur dans la poche supérieure de mon gilet, puis j'ai poussé la lourde porte en bois de rose et pénétré dans le magasin.

Une grosse lanterne en papier répandait une lumière jaune sur la pièce haute de plafond, dont trois murs étaient revêtus d'immenses étagères où s'empilait du linge bien plié. Face à moi, au-delà d'un pavement, se dressait un large comptoir. Un monsieur chinois d'un certain âge s'y tenait ; il avait une longue barbe blanche filiforme et un grand chapeau de papier posé sur la tête.

Derrière lui, une baie vitrée donnait sur la très vaste blanchisserie, fourmillant d'une armée d'employées groupées autour de lessiveuses bouillantes, de bacs pleins de mousse et de gigantesques essoreuses qui nécessitaient cinq paires de bras. Sous le haut chapeau de papier, Chung Li (le propriétaire de la blanchisserie) n'a pas remarqué mon arrivée. Il semblait avoir fort à faire avec un gros client trapu, en veste de velours et chapeau melon vert, qui lui enfonçait un doigt boudiné dans la poitrine pour souligner ses paroles.

– Écoutez, monsieur Li, a déclaré la brute aux oreilles décollées en avançant son doigt, ce qui a fait vaciller le chapeau de son interlocuteur, vous n'avez pas jusqu'au mois prochain pour payer. Ni jusqu'à la semaine prochaine. Ni, d'ailleurs (nouvelle pression du doigt), jusqu'à demain. Vous payez maintenant, compris ?

– Mais votre ami, le petit, a dit : payez le mois prochain, a protesté sans conviction le propriétaire de la blanchisserie. Je n'ai pas l'argent maintenant...

D'un doigt boudiné, Oreilles-décollées a repoussé le bord de son chapeau melon vert sur son crâne rasé, puis a serré le poing.

– La moutarde me monte au nez, monsieur Li, a-t-il lancé, hargneux.

J'avais déjà vu cent fois ce genre d'extorsion, et j'en étais révolté. Un colosse parvenu qui utilisait ses muscles pour racketter des commerçants. Le voyou portait même le costume du rôle : une veste verte vulgaire et un chapeau melon en feutre. Il avait sans doute une matraque et un coup-de-poing américain dans les poches de son gilet brodé. Je ne voulais pas prendre de risques. J'ai actionné le mécanisme sur la poignée de ma canne et dégainé mon épée avant de tapoter l'épaule du voyou.

– Nom d'un… a-t-il grogné, surpris, alors qu'il pivotait et découvrait une lame d'acier pointée sur sa poitrine.

– À votre place, je filerais, ai-je déclaré avec froideur, même si je sentais ma colère bouillir comme de la vapeur dans une lessiveuse.

Oreilles-décollées a plissé les yeux et fait une moue dédaigneuse.

– Un envoyé tic-tac ! a-t-il ricané. Es-tu assez grand pour jouer avec une épée tranchante, fiston ?

En réponse, d'une habile rotation du poignet, j'ai cueilli le chapeau vert sur son crâne avec le bout de mon épée et l'ai envoyé voler sur le carrelage. Abaissant mon arme, j'ai tranché les boutons d'ivoire de son gilet : comme prévu, un coup-de-poing et une matraque en cuir sont tombés sur le sol avec fracas, où ils ont rejoint le chapeau.

– Allons, tu… a commencé Oreilles-décollées, mais il a renoncé en comprenant, à mon regard, que je ne plaisantais pas. Très bien, fiston, pas besoin de se battre. Je suis sûr que monsieur Li a de quoi nous payer tous les deux...

Il s'est interrompu, a plissé de nouveau les yeux, puis un grand sourire stupide s'est épanoui sur sa figure de malotru. Sans ce sourire édenté, j'aurais été fichu. Dans le cas présent, j'avais pu ébaucher un demi-tour lorsque l'attaque par-derrière est arrivée. Au lieu de me défoncer le crâne, le coup m'a touché obliquement.

Il m'a projeté à terre, où je suis resté étourdi au milieu des accessoires du voyou. Levant les yeux, j'ai constaté qu'Oreilles-décollées avait reçu le renfort d'un petit compagnon à l'air irritable, vêtu de manière aussi voyante. Il avait dû entrer discrètement derrière moi et m'avait asséné un coup indigne avec le sale gourdin qu'il tenait à deux mains.

– Je ne peux pas te laisser cinq minutes, Freddy, sans que tu te fasses malmener par... un envoyé tic-tac !

– Désolé, mais il s'est approché de moi en catimini, a protesté Oreilles-décollées, ramassant son chapeau.

– Eh bien, là, c'est moi qui me suis approché de lui en catimini, a dit Face-de-rat, affichant un vilain sourire narquois tandis qu'il brandissait le gourdin. Et il va recevoir ce qu'il mérite...

– Et que mérite-t-il donc, messieurs ? a demandé une douce voix mélodieuse, sortant de derrière le comptoir.

J'ai alors aperçu, à côté de M. Li, une petite jeune fille fluette, les mains jointes devant elle et la tête penchée d'un air très sage. Malgré ma situation épineuse, je n'ai pu m'empêcher de remarquer combien elle était belle. Elle avait des tresses noires, une peau laiteuse, des yeux vifs et brillants et un nez d'une délicatesse extraordinaire.

– Disparaissez, mademoiselle, lui a ordonné Oreilles-décollées. Cette affaire ne vous concerne pas.

– Oh, mais je crois que si, a-t-elle répondu gentiment.

– Mei Ling, je t'en prie, a soufflé Chung Li.

La jeune fille s'est contentée de sourire.

– Mon grand-père et moi sommes unis comme... (elle a croisé l'index et le majeur) les doigts de la main ! Vous cherchez querelle à mon grand-père ? Vous me cherchez querelle aussi ! C'est donc à vous deux que je suggère de « disparaître ».

Soudain, Oreilles-décollées s'est fâché tout rouge.

– Vous étiez avertie ! a-t-il grondé, empoignant la matraque en cuir et visant la tête de Mei Ling.

La jeune fille s'est baissée vivement ; son sourire n'a pas faibli. Oreilles-décollées a porté une nouvelle attaque. Cette fois-ci, Mei Ling a sauté sur le comptoir et fait un élégant pas de côté tandis que le malotru assénait un coup de matraque sur la surface en bois poli. Il a hurlé de douleur lorsque le choc

Mei Ling l'a regardé de toute sa hauteur, arborant son large et beau sourire.

s'est répercuté dans son épaule. Mei Ling l'a regardé de toute sa hauteur, arborant son large et beau sourire.

– Je crois vraiment que vous feriez mieux de partir, a-t-elle déclaré.

Il est demeuré immobile une minute, un mélange de trouble et de rage lui tordant la figure. La jeune fille a lancé un clin d'œil. Outré, le voyou a essayé de lui attraper les chevilles. Mais elle a bondi, réalisé un double saut périlleux plein d'aisance, et est retombée derrière lui.

Oreilles-décollées a pivoté sur ses talons, frappant avec fureur et frénésie, désormais épaulé par son compagnon à face de rat. Mei Ling a évité les coups de matraque et de gourdin grâce à un nouveau bond souple, au-dessus de la lanterne lumineuse en papier, avant de toucher le sol sans bruit près de moi. J'ai tendu le bras vers ma canne-épée, mais la jeune fille a interrompu mon geste d'un petit non de la tête, les sourcils froncés.

Elle s'est tournée pour affronter Face-de-rat et Oreilles-décollées, qui avançaient vers elle d'un pas lourd, écarlates et hors d'haleine après leurs efforts inutiles. D'un regard fixe et d'un doigt levé, Mei Ling les a stoppés net. D'entre ses jolies lèvres s'est alors échappé un doux murmure mélodieux, comme le bourdonnement d'une libellule. Elle a balancé son doigt de droite à gauche et, tels deux chiens de garde lorgnant un os, les voyous l'ont suivi des yeux.

– Alors, vous n'allez pas faire de mal à mon grand-père, dites-moi ? a-t-elle soufflé.

– Non, ont-ils grogné en chœur, nous ne ferons pas de mal à votre grand-père.

– Vous allez partir, et vous ne reviendrez plus jamais ici, promis ?

– Partir pour ne plus jamais revenir, ont-ils psalmodié, remuant la tête selon les mouvements de son doigt.

– Très bien, a conclu Mei Ling.

Elle a baissé le bras et tapé dans ses mains comme si elles étaient couvertes de poussière.

Les deux hommes se sont redressés lentement. Puis, aussi doux et dociles que des chiens battus, la queue entre les pattes, ils ont déposé leurs armes et se sont dirigés vers la porte à pas traînants. Face-de-rat est sorti le premier, Oreilles-décollées refermant la porte sans bruit derrière lui.

Lorsque le loquet a cliqueté, un charme a semblé se rompre. Je me suis tourné vers Mei Ling.

– C'était absolument incroyable, ai-je dit. Stupéfiant… Comment diable avez-vous fait ?

Elle m'a gratifié de son beau sourire.

– Grand-Père n'aime pas ça. Il trouve que je frime, a-t-elle expliqué avec un petit rire. Il préfère quand je leur tends une bourse vide en leur affirmant qu'elle est pleine.

Au comptoir, Chung Li a hoché la tête, ce qui a ébranlé son chapeau, et, d'un geste, il m'a demandé le ticket de blanchisserie du professeur. Me relevant, j'ai rengainé mon épée, puis je lui ai présenté le papier… mais Mei Ling l'a intercepté avec un nouveau petit rire délicieux.

– Le linge peut attendre, m'a-t-elle dit. Êtes-vous l'envoyé tic-tac que j'ai vu déjeuner sur le toit ?

J'ai souri.

– Lui-même, ai-je répondu. Edgar Destoits. Ravi de vous connaître.

J'ai tendu la main, mais Mei Ling l'a ignorée.

– Et vous voulez savoir comment je m'y suis prise avec nos fâcheux visiteurs ?

J'ai confirmé.

– Vous devez me promettre quelque chose en échange.

– Ah oui ? me suis-je étonné.

– Vous devez me promettre, a-t-elle déclaré avec un rire cristallin, de me révéler ce que vous mangiez… Vous aviez l'air de vous régaler !

CHAPITRE 6

Durant les quelques jours qui ont suivi, j'ai entrepris mes tournées d'envoyé tic-tac avec un nouvel objectif. Vidant ma commode, j'allais travailler chaque matin dans une chemise et un gilet propres. Tandis que je voltigeais d'un bout à l'autre de la ville, portant paquets et documents, je frôlais les cheminées crasseuses à la moindre occasion, dévalais d'innombrables toits poussiéreux et mangeais avec négligence du ragoût de docker. J'ai vite accumulé un tas de linge sale assez considérable – que je savais précisément où porter.

Me levant à l'aube trois jours plus tard, je suis sorti par la fenêtre de ma mansarde et j'ai grimpé sur le toit, impatient de revoir la belle et jeune blanchisseuse.

Un pâle soleil trouble brillait à travers une brume matinale et, l'apercevant, je me suis soudain rappelé que RD parlait depuis des mois d'un événement qui s'annonçait exceptionnel. À la fin de l'été, il y aurait une éclipse de soleil.

– Une éclipse totale, Edgar, m'avait-il informé, le regard pétillant. La dernière s'est produite voilà quatre-vingt-dix-huit ans ! Imaginez-vous, mon garçon. Le soleil entièrement masqué. La nuit en plein jour !

Alors que je contemplais le soleil ce matin-là, je me suis rendu compte que Mei Ling m'avait fait oublier la future éclipse. Comme elle m'avait fait oublier presque tout le reste, d'ailleurs…

Depuis les toits, j'entendais les cris familiers des marchands ambulants et des bonimenteurs qui exerçaient leur métier dans les rues en contrebas. Les appels résonnaient dans l'air enfumé :

– Besoin de quoi ? De quoi manquez-vous ? Qu'est-ce qu'il vous faut ? Qu'est-ce qu'il vous faut ?

– Lait frais à la louche ! Un penny la rasade !

– Pommes du verger, mûres et pas chères !

J'étais à l'angle de la rue du Petit-Corbin et de la ruelle Régnault lorsque j'ai entendu celui que je guettais. Sautant de la gouttière où j'étais perché à un large rebord de fenêtre au-dessous de moi, j'ai exécuté une figure que le grand Tom Silex m'avait enseignée plusieurs années auparavant : la délicate « roussette », qui nécessitait une hampe de drapeau, une veste déboutonnée et un sang-froid inébranlable. Je n'ai pas tardé à toucher le sol près d'un vendeur corpulent, qui avait autour du cou un plateau de tartes et de feuilletés encore chauds.

– Deux croque-chauffeur, ai-je dit, et j'ai laissé tomber de la petite monnaie dans sa main tendue.

De retour sur les toits, j'ai fait halte sur le vieux bâtiment des guildes et embrassé l'horizon des yeux avant de repartir. La cloche au sommet de la halle au blé sonnait sept heures lorsque j'ai traversé la route des Tonnelles, qui marquait la limite nord du quartier chinois. Cinquante mètres plus loin pointait le toit vert de la blanchisserie de la Fleur de lotus, dont les tuiles vernissées ruisselaient de gouttes laissées par la pluie nocturne torrentielle.

L'architecture de l'édifice empruntait à l'Orient. Les grands murs blanchis à la chaux étaient sur-montés d'un comble brisé, d'un avant-toit relevé et de pignons ondulés. Ajustant le sac de linge rebondi sur mon dos, je me suis approché ; j'allais choisir un tuyau pour descendre dans la rue lorsqu'une fenêtre à meneaux s'est ouverte sous l'avant-toit et que la tête de Mei Ling est apparue.

– Edgar Destoits ! m'a-t-elle appelé, sourire aux lèvres. Je vous attendais. L'eau commence juste à bouillir.

Elle m'attendait ? L'eau commençait à bouillir ? Mais par quel prodige avait-elle pu deviner que je viendrais à cette heure précise ?

Ma confusion a dû se manifester sur mon visage car, un instant plus tard, Mei Ling a éclaté de rire.

*J'ai franchi l'espace qui me séparait de la blanchisserie
et je suis passé de l'avant-toit au rebord de la fenêtre.*

– Entrez, entrez, m'a-t-elle dit. Et apportez ce ballot de linge.

J'ai franchi l'espace qui me séparait de la blanchisserie et je suis passé de l'avant-toit au rebord de la fenêtre. Mei Ling s'est écartée en m'invitant à l'intérieur. J'ai ôté mon haut-de-forme et l'ai aplati pour pénétrer dans une salle richement meublée.

Le parquet, en acajou sombre avec des incrustations complexes de bouleau argenté, était parsemé de nattes finement tressées. Sur les murs peints en blanc, rouge et or, des dragons vert émeraude se contorsionnaient, et de grands paravents à triples panneaux divisaient l'immense pièce mansardée. De part et d'autre de la fenêtre, ainsi qu'en haut de l'escalier, des potiches élégamment peintes trônaient sur des piédestaux vernis noirs ; leur surface laquée, turquoise et dorée, miroitait sous la lumière que répandaient les lanternes en papier orange et rose au plafond.

Mei Ling a tendu les bras dans ma direction. Un peu embarrassé, je me suis avancé, et je m'apprêtais à lui serrer la main lorsqu'elle est passée derrière moi en riant. Plus discrète qu'un voleur à la tire au champ de courses, elle s'est emparée du sac de linge sur mon dos et de la canne-épée entre mes doigts, tout en me faisant pivoter face à elle par la manche.

– On s'occupera de la lessive au rez-de-chaussée, a-t-elle déclaré, mettant le sac de côté. Tandis que…

Mei Ling a levé ma canne-épée puis actionné le mécanisme qui découvrait la lame.

– Cette arme m'intéresse.

– Attention, elle est tranchante, l'ai-je mise en garde.

– Avez-vous souvent lieu de vous en servir ? a demandé Mei Ling, dégainant l'épée, qu'elle a haussée vers la lumière.

– J'ai eu à me défendre dans certaines circonstances, ai-je répondu, précautionneux.

– Et cette épée, dissimulée dans une canne innocente, s'est révélée utile ? a dit Mei Ling. Montrez-moi ça.

Elle m'a rendu l'épée puis a reculé, bras croisés.

– Vous montrer ? Mais comment ? ai-je demandé, perplexe.

– Touchez-moi l'épaule avec l'extrémité de votre lame, a répondu Mei Ling.

Elle a souri, ses yeux noirs pétillant d'espièglerie.

– Je vous touche simplement l'épaule ? ai-je dit, pour m'assurer que j'avais bien compris.

Mei Ling a hoché la tête.

J'ai levé mon arme : je m'apprêtais à effleurer l'épaule droite de la jeune fille lorsqu'elle s'est dérobée. Pivotant sur mes talons, j'ai réessayé, mais elle m'a évité avec élégance, me chuchotant à l'oreille au passage :

– Allons, Edgar. Un petit effort…

Je me suis tourné et j'ai feinté à gauche, détendant au tout dernier moment mon bras armé. Mei Ling a bondi bien haut pour éviter le tranchant, pris appui un instant sur le bout de la lame – son gracieux chausson en équilibre, à la verticale – et exécuté un saut périlleux au-dessus de ma tête. Elle m'a tapoté l'épaule, son beau visage rayonnant.

– Excusez-moi, Edgar, a-t-elle dit, rieuse. Je frime. C'est mon pire défaut, d'après mon grand-père.

Je me suis tourné vers elle et j'ai rengainé mon épée.

– Comment faites-vous ? ai-je demandé, stupéfié par ses acrobaties. Mon vieil ami Tom Silex se tenait en équilibre sur une gouttière rouillée de cinq centimètres de large, mais pas au bout d'une épée…

Mei Ling m'a fait signe de m'asseoir à une table basse près de la fenêtre, dressée pour le thé.

S'installant face à moi, elle s'est penchée : avec un charmant froncement de sourcils appliqué, elle a retiré le bouchon en liège d'un grand bocal et versé une pleine cuillerée de la poudre vert pâle qu'il contenait dans chacun des gobelets devant nous. Un suave parfum végétal m'a chatouillé les narines. Ensuite, avec le même souci tranquille du détail, elle a pris l'anse en raphia de la théière métallique bulbeuse qui fumait doucement au-dessus d'une bougie chauffe-plat et a rempli les gobelets d'eau bouillante. Le parfum s'est intensifié tandis qu'un fin ruban de vapeur s'élevait à la surface du liquide. Je n'avais jamais senti de thé parfumé ainsi.

– De quoi s'agit-il ? ai-je demandé.

– De thé vert, m'a-t-elle répondu sans lever les yeux. Additionné de ginseng et aromatisé au jasmin.

Elle a replacé la théière au-dessus de la flamme dansante de la bougie puis, à l'aide d'un petit fouet alliant bois et tiges séchées, a remué doucement le liquide et reposé l'ustensile. J'ai esquissé un geste vers le gobelet fumant devant moi – mais Mei Ling l'a interrompu.

– Attendez, m'a-t-elle dit. D'abord, regardez la vapeur qui monte du thé. Voyez les spirales et les ondulations qu'elle forme… Concentrez-vous vraiment, Edgar… Concentrez-vous… a chuchoté Mei Ling dans mon oreille, d'une voix envoûtante.

J'ai obéi. Alors que j'observais la colonne mouvante de brume légère, un étrange phénomène s'est produit. Les volutes de vapeur semblaient prendre une certaine consistance, telles des écharpes de soie, des ailes de libellules, une source jaillissant et s'évanouissant.

– À présent, regardez les espaces dans la brume…

En effet, mon regard s'est arrêté sur les espaces – longs tunnels qui s'ouvraient et s'éloignaient, sinueux – entre les spirales et les ondulations de vapeur…

– Edgar…

Mon nom a filtré jusqu'à ma conscience.

– Edgar…

La voix de Mei Ling était douce et mélodieuse ; puis un léger battement de mains s'est fait entendre.

– Edgar Destoits.

J'ai levé les yeux : Mei Ling me dévisageait d'un air amusé, l'œil pétillant. Elle a battu des mains une seconde fois, à sa manière curieuse, comme si elle voulait les dépoussiérer.

– M… Mei Ling, ai-je dit tout bas.

J'avais presque l'impression de sortir du sommeil.

– C'était votre première leçon de yinchido, m'a-t-elle déclaré, souriante, en me présentant le gobelet de thé.

– Le yinchido ? ai-je demandé.

J'ai bu une gorgée. Le thé avait aussi bon goût que son parfum le laissait espérer.

– Le yinchido, a-t-elle répété. La voie de la brume d'argent. C'est un art très ancien, pratiqué depuis des siècles dans les montagnes reculées de mon pays natal. L'art de l'absence…

– Je… je ne comprends pas, ai-je avoué.

Mei Ling a bu à son tour.

– Vous avez entrevu le principe du yinchido pendant que vous observiez les espaces dans la vapeur.

J'ai baissé les yeux vers mon gobelet légèrement fumant.

– Vous voyez, Edgar, a-t-elle enchaîné, nous utilisons nos sens pour distinguer les images, les sons, les odeurs... Mais le monde ne se limite pas à eux. Le monde, c'est aussi ce qui n'est pas là.

J'ai froncé les sourcils.

– Il y a ce que nous voyons, mais aussi ce que nous ne voyons pas. Il y a les sons, mais aussi le silence. Il y a le toucher...

Elle a tendu le bras et, du bout du doigt, m'a caressé la joue. Elle a souri et retiré sa main.

– Mais aussi la sensation de ne pas être touché. Pour comprendre correctement l'un ou l'autre, nous devons connaître les deux. La plupart des gens perçoivent uniquement ce dont leurs sens leur signalent la présence. Le yinchido nous apprend à discerner ce qui n'est pas là – les espaces.

J'avais le vertige, à essayer de saisir le sens exact de ses propos.

– Donc, ai-je demandé, au cours d'un combat, vous vous glisseriez dans les espaces pour éviter un assaillant ? Comme vous l'avez fait pour éviter mon épée, ou quand ces deux gros malotrus vous ont attaquée l'autre jour...

Mei Ling a répondu par l'affirmative.

– Mais pourtant, vous n'avez pas seulement évité leurs attaques, ai-je repris. Vous donniez l'impression de contrôler leur esprit...

Mei Ling m'a regardé avec intensité.

– Comme je vous l'ai dit, Edgar, le yinchido consiste à se servir des espaces, a-t-elle expliqué d'un ton posé. Outre les espaces physiques, il existe aussi des espaces mentaux. Je me suis glissée dans les espaces mentaux de ces sales types et les ai remplis de mes propres souhaits...

– À vous entendre, c'est si simple, ai-je observé, impressionné.

– La voie de la brume d'argent est un long chemin, Edgar, m'a-t-elle dit avec douceur. Mais si vous avez envie de la suivre, je serai heureuse de vous guider.

Enthousiaste, j'ai hoché la tête et bu un peu de thé... Un gargouillis s'est alors échappé de mon ventre creux.

– J'ai failli oublier, je vous ai apporté quelque chose ! ai-je dit, tout joyeux, fouillant dans ma poche et en sortant les croque-chauffeur. Ils sont parfaits pour combler les espaces, à mon avis !

Une heure plus tard, je suis sorti par la fenêtre supérieure de la blanchisserie avec un paquet de chemises et de gilets bien propres et repassés, un bocal de thé vert et une série d'instructions de ma belle formatrice.

Tous les matins, je préparais mon thé et me concentrais sur la vapeur qu'il dégageait en tiédissant. Tous les soirs, je m'installais sur le toit de ma mansarde et pratiquais les exercices de respiration que Mei Ling m'avait donnés, tout en cherchant les bulles de silence cachées au cœur du bruit de la ville.

Si étrange que cela puisse paraître, à mesure que le long été chaud s'écoulait, ces techniques simples ont commencé à faire leur effet. Tout d'abord, mon art de la voltige en a bénéficié. Je ne semblais plus condamné aux chutes et aux culbutes que n'importe quel voltigeur subit au cours de ses déplacements et, en l'absence de plaies et de bosses, j'ai pris de l'assurance, même pour les figures les plus difficiles. J'ai aussi manié l'épée avec plus d'adresse, quoique j'aie découvert, par ailleurs, que je pouvais anticiper les ennuis et les éviter bien plus facilement grâce à ma capacité de concentration accrue. Enfin, j'avais toujours à disposition une pile de chemises lavées depuis peu.

Mei Ling était si contente de mes progrès qu'elle a résolu de me dévoiler la puissance de l'esprit et les techniques yinchido qui l'améliorent. Cet univers s'avérait fascinant, et je me réjouissais par avance d'un automne instructif avec ma belle formatrice.

Malheureusement, il ne devait pas en être ainsi. Des forces obscures étaient à l'œuvre, un mal archaïque se répandait et, malgré mon initiation au yinchido, je n'ai rien vu venir.

Un matin de cette fin d'été, comme je tournais à l'angle de la ruelle des Berthaux, j'ai croisé un personnage vacillant qui arrivait en sens inverse. Il a plongé son regard au fond du mien, une expression de terreur pitoyable sur le visage, tel un rat dans un piège de quatre sous.

– Mais c'est vous ! me suis-je écrié.

CHAPITRE 7

L'homme n'était autre que « le commandant », l'aimable concierge du manoir Fougeraie – même si je ne l'avais pas reconnu avant qu'il me regarde dans les yeux, tant il avait changé.

Sale, ébouriffé, il dégageait une odeur aussi âcre qu'un chat de gouttière et avait de profondes entailles sur la tête et les mains. Ses favoris, naguère impeccables, étaient crasseux et emmêlés, sa moustache cirée, désormais hirsute, ressemblait au balai d'une fille de cuisine, tandis que son visage hagard laissait penser qu'il avait perdu le sommeil depuis des mois. Des boutons manquaient à sa veste, un genou de son pantalon était troué, le tissu effrangé bordé de sang séché à l'endroit où il était tombé et s'était écorché la jambe.

– De petits monstres, de petits monstres, de petits monstres… marmonnait-il pour lui-même lorsque son épaule m'a frôlé.

Il aurait continué son chemin si je n'avais pas tendu le bras et saisi la manche de sa veste.

– Vous êtes le commandant du manoir Fougeraie, je ne me trompe pas ? lui ai-je demandé.

Au son de mes paroles, le pauvre homme s'est figé. Il a tourné la tête vers moi avec lenteur, jusqu'à poser son regard terrifié sur mes propres yeux. Sa figure émaciée est devenue aussi pâle que le tablier d'un cuisinier, une contraction involontaire lui a tordu le coin droit de la bouche.

– Le concierge, ai-je insisté. Du manoir Fougeraie.

L'homme semblait accablé. Il a eu un mouvement de recul, des gouttelettes de sueur perlant sur son front.

– V-vous n'êtes p-pas… a-t-il bégayé. Vous n'êtes pas des leurs, hein ?

Sa voix était sourde, tremblante et si pleine d'effroi qu'il donnait l'impression d'avoir vu un fantôme.

– Des leurs ? ai-je répété.

– Je n'y retournerai pas, a-t-il déclaré, frissonnant, une lueur farouche et affolée dans les yeux. Jamais, vous m'entendez ? Jamais…

Sa voix devenait hystérique.

– Et ils ne pourront pas m'obliger…

Sur ces mots, il a libéré sa manche d'une secousse et m'a écarté du passage. Il a dévalé la ruelle, ses bottes cloutées cliquetantes glissant sur les pavés, puis il s'est précipité sur la chaussée – en plein devant un carrosse qui, à cet instant précis, surgissait au carrefour dans un vacarme infernal.

– Attention ! ai-je hurlé.

Mais il était trop tard. Aussitôt après, il y a eu un bruit mat, un craquement et un cri de douleur atroce, suivi de hennissements apeurés, pendant que le cocher faisait claquer son fouet et tentait d'apaiser ses chevaux qui se cabraient.

– Hé, tout doux ! Tout doux !

Le martèlement des sabots et le fracas des roues métalliques ont brusquement cessé. J'ai tourné les yeux vers le trottoir, le cœur battant la chamade, et vu le concierge qui gisait, immobile, dans le caniveau, un bras tordu derrière la tête, les jambes cassées, repliées sous lui, un filet de sang coulant au coin de sa bouche. Des passants se sont précipités pour essayer de lui porter secours, mais tandis que je me joignais à eux, je savais déjà que c'était sans espoir.

J'ai plongé mon regard dans les yeux terrorisés du concierge ; ses lèvres se sont crispées alors qu'il essayait de parler.

– Un mal… Un mal terrible… a-t-il soufflé. Prenez garde…

Sa tête s'est dressée, implorante, avant de retomber sur le côté ; ses yeux sont devenus fixes et vitreux alors qu'il rendait le dernier soupir.

Une foule considérable s'était massée autour du concierge renversé, curieuse et bavarde. Le cocher avait quitté son siège et répétait encore et encore les mêmes phrases à qui voulait l'entendre.

– Il s'est presque jeté sous mes roues. Oui, jeté sous mes roues, quasiment. Je n'ai rien pu faire. Il s'est presque jeté sous mes roues…

D'autres ont repris le refrain : une vieille femme chargée d'un panier, une crémière portant deux seaux de lait sur une palanche. Tous les témoins semblaient d'accord :

– Il ne regardait pas où il allait…

– Il s'est presque jeté sous ses roues…

– On aurait dit un fou, pauvre homme…

Un agent de police, la figure écarlate et la respiration sifflante, s'est frayé un chemin dans la cohue.

– Dégagez ! a-t-il crié en repoussant les badauds à coups de coude. Allons, veuillez circuler. Il n'y a plus rien à voir.

Penché au-dessus du corps sans vie, il a sorti un carnet et un crayon de sa poche arrière.

– Bon, quelqu'un peut-il m'expliquer exactement ce qui s'est passé ?

– Il n'a pas regardé. Il s'est jeté au milieu de la chaussée… a commencé la crémière.

– Je n'ai rien pu faire, a ressassé le cocher de sa grosse voix. Il s'est jeté sous mes roues, quasiment…

Les laissant là, je suis retourné parmi la foule sans me faire remarquer. Un nouveau fou auquel il arrivait malheur sur les pavés de la rue du Marché, l'artère la plus passante de cette grande ville animée. On appelait de telles victimes les « cadavres des carrosses », et ce pauvre homme venait s'ajouter à leur nombre. Néanmoins, quelques semaines plus tôt, ce fou avait toute sa raison et tenait la loge d'une école respectable.

Qu'est-ce qui avait mal tourné ?

L'incident était pour moi un brusque rappel à la réalité. Tandis que je passais l'été l'esprit plein de tickets de blanchisserie et de croque-chauffeur, de gymnastique mentale et de délicieux sourires, tout s'était dégradé au manoir Fougeraie. Bien sûr, il fallait que je découvre ce qui se passait. Mais d'abord, j'avais besoin d'un remontant.

J'ai traversé la rue du Marché embouteillée, descendu l'allée des Conserveries, et je suis entré dans la rassurante pénombre lambrissée du café *Marconi*. Demandant un petit noir, j'ai humé le riche arôme de la boisson et tenté d'analyser ce qui venait de se dérouler.

– Edgar ? a lancé une voix chaleureuse, interrompant mes pensées. Edgar Destoits. Content de vous voir, mon cher !

J'ai levé les yeux : la voix appartenait à l'un de mes fidèles clients – charbonnier corpulent aux joues roses, dénommé Sidoine Torsejambe –, assis à la table voisine. Avec son frère, il possédait *Torsejambe et Torsejambe*, le commerce de charbon contigu au café.

Durant l'automne et en début d'hiver, leurs énormes chevaux de trait livraient des quantités de charbon dans toute la ville ; ils récupéraient l'argent au fil des semaines pendant le reste de l'année. Mon travail, dans les derniers jours de l'été, consistait à prendre les commandes pour la saison à venir. Nous, envoyés tic-tac, appelions cette période la course au charbon, et c'était l'une des plus chargées de notre calendrier.

– Bonjour, monsieur Torsejambe, ai-je dit d'un ton mal assuré.

– Bonjour à vous, Edgar, a-t-il répliqué, sa voix forte noyant le brouhaha des conversations du café.

Tendant le bras, il m'a présenté une main gigantesque, aux lignes et aux ongles noircis par la poussière de charbon.

– Il faut que vous passiez nous voir ; la nouvelle saison s'annonce, mon garçon.

– Bien sûr, ai-je répondu, puis j'ai poussé un soupir.

M. Torsejambe a froncé les sourcils et approché de mon visage sa grosse figure rose.

– Tout va bien, mon grand ? Si je puis me permettre, vous avez l'air mal fichu. Vous ne couvez rien, j'espère.

– Non. Je viens juste de voir un homme se faire écraser dans la rue du Marché, lui ai-je dit.

M. Torsejambe a pris une inspiration bruyante entre ses dents.

– Affreux, affreux, a-t-il déploré, secouant la tête avec compassion. Les rues, de nos jours... Pas un fardier à charbon, j'espère...

– Un carrosse. Qui a renversé un malheureux.

– Un cadavre des carrosses ! a grogné le charbonnier. Ces gens-là comprendront-ils un jour ? Il faut se méfier quand on traverse une rue passante...

– Je le connaissais, en fait, ai-je poursuivi. Jusqu'à une date récente, il était concierge à l'école du manoir Fougeraie.

– Au manoir Fougeraie ? a dit Torsejambe, arquant un sourcil. La fine fleur des établissements scolaires ! Et je suis bien placé pour le savoir. J'y ai envoyé Sidoine fils.

La nouvelle m'a surpris – quoique, à la réflexion, je n'avais pas vu le jeune garçon dans les bureaux paternels depuis assez longtemps. On aurait dit son père en modèle réduit, peut-être même encore plus rond et rose de visage.

– C'est sa deuxième année, a continué M. Torsejambe, hochant la tête. Il s'en donne à cœur joie, d'après ce qu'il dit, et en plus, il reçoit une sacrée bonne éducation.

Il a plongé la main dans la poche intérieure de sa veste, dont il a sorti une feuille de vélin pliée.

– Tenez, j'ai reçu ce mot de lui tout à l'heure.

Il a souri.

– J'étais au dépôt quand un envoyé tic-tac me l'a apporté... Alors j'ai fait un saut ici pour jeter un œil dessus en buvant un petit noir.

Il a levé la tête et agité la feuille devant mes yeux.

– Aimeriez-vous savoir comment il se porte ?

J'ai répondu par l'affirmative – même si, pour être honnête, je crois qu'il me l'aurait lu de toute façon. Il a tiré de sa poche supérieure des lunettes à monture d'acier, les a mises, puis a déplié la lettre et s'est éclairci la voix.

– *Très chers parents*, a-t-il commencé.

Il s'est tu un instant et m'a regardé par-dessus ses verres en demi-lunes.

– Ils leur enseignent aussi une calligraphie splendide.

Il a repris sa lecture d'une voix un peu lente, car il peinait sur les mots.

– *Très chers parents, j'espère que cette lettre vous trouvera en bonne santé. Je me suis bien adapté ce trimestre. Je travaille très dur et j'apprends énormément. Les cours sont très intéressants, les professeurs nous traitent bien – et les repas sont copieux. Surtout ne vous faites aucun souci. Vous allez être fiers de moi. Votre fils qui vous aime, Sidoine.*

Il m'a regardé, souriant, et j'ai découvert que ses yeux étaient embués de larmes.

– Vous avez raison, ai-je dit. De toute évidence, il se porte bien.

– Il travaille et s'amuse avec la même énergie, a déclaré Sidoine Torsejambe.

Il a sorti un grand mouchoir à carreaux de la poche de sa veste et s'est mouché bruyamment.

– Nous serons fiers de lui, écrit-il... Je vous assure, Edgar, je suis d'ores et déjà le père le plus fier du monde. Sidoine bénéficie à tous égards de l'excellente éducation que je n'ai jamais eue.

J'ai vidé ma tasse et laissé le charbonnier relire la lettre de son fils, remuant les lèvres, les yeux humides. J'ai pris à gauche du café, traversé la rue (me méfiant plus que de coutume) et regagné la ruelle des Berthaux. Arrivé au bout, je m'apprêtais à escalader un tuyau bien situé lorsque j'ai aperçu un envoyé tic-tac qui promenait un regard vague autour de lui, une liasse d'enveloppes en vélin à la main.

Il portait un haut-de-forme semblable au mien, mais de deux tailles trop grand, et un gilet abîmé, rapiécé, qui semblait d'occasion. Au lieu d'une canne-épée, il avait, coincé sous le bras, un bâton noueux : utile pour repousser les chiens de garde inopportuns, mais guère plus. Avec ses bottes boueuses, ses vêtements usés et son visage noir de suie, il était sans nul doute possible un « rampant collé aux pavés ».

– Puis-je t'aider ? ai-je proposé.

Il était sans nul doute possible un « rampant collé aux pavés ».

Le garçon s'est retourné. Bien sûr, il a vu immédiatement que j'étais moi aussi un envoyé tic-tac, et m'a salué.

– Je cherche le numéro soixante-dix-neuf, m'a-t-il expliqué, secouant la tête. Je ne le trouve nulle part.

– Il n'y a pas de numéro soixante-dix-neuf dans cette rue, ai-je répondu. Elle se termine au cinquante-cinq.

– Pourtant, il doit bien exister. C'est là qu'habitent…

Il a consulté l'enveloppe au sommet de sa liasse.

– Monsieur et madame Moraine. Soixante-dix-neuf, ruelle des Brotteaux …

J'ai éclaté de rire. Soit ce garçon était nouveau dans la profession, soit il lisait aussi mal que le vieux Sidoine Torsejambe. En tout cas, il m'a fait pitié ; j'ai décidé de le tirer d'erreur.

– Ici, nous sommes ruelle des Berthaux, ai-je rectifié gentiment. La ruelle des Brotteaux, c'est la prochaine. De ce côté, ai-je ajouté en pointant le doigt.

– Vraiment ? Merci, monsieur…

– Edgar, ai-je annoncé.

J'ai souri et je lui ai tendu la main.

– Edgar Destoits. Ravi de rendre service.

Le garçon m'a donné une poignée de main enthousiaste.

– Florian, a-t-il dit. Florian Pastor.

Repoussant son haut-de-forme d'un doigt crasseux, il a haussé les épaules.

– Je suis nouveau dans le métier. En fait, c'est seulement ma deuxième mission. Je livrais des œufs de cane dans les faubourgs sud (joli décor de campagne, d'ailleurs !) et voilà que quelqu'un m'appelle à un portail. Un grand manoir, un bâtiment dans ce genre... Et un gamin me glisse trois pièces d'or pour distribuer ce paquet de lettres...

Florian s'est interrompu et, plissant les yeux, m'a examiné de la tête aux pieds.

– Vous ne seriez pas un voltigeur ? a-t-il demandé d'une voix pleine de respect.

– En effet, ai-je répondu, un léger accent de fierté dans ma propre voix.

Il a jeté un coup d'œil vers les toits.

– J'adorerais pratiquer la voltige des sommets, a-t-il affirmé. Loin du vacarme, du tourbillon... Là-haut, parmi les flèches et les clochers...

Il a poussé un long soupir sincère, puis s'est tourné vers moi, la mine aussi avide et implorante qu'un chat devant un étalage de poissons.

– Je me demande... à l'occasion... pas maintenant, bien sûr... si vous pourriez m'enseigner la voltige. Au fond, vous avez dû avoir un professeur, vous aussi, jadis...

J'ai souri. L'audace de ce garçon me plaisait.

– Comment avez-vous débuté, vous, Edgar ?

– C'est un envoyé tic-tac nommé Tom Silex qui m'a initié.

Le jeune Florian a étouffé une exclamation.

– Non, pas le grand Tom Silex ?

– Tu as entendu parler de lui ? ai-je demandé, impressionné. Il m'a enseigné tout ce que je sais, ce cher Tom...

– La galipiote, par exemple ? s'est enflammé Florian. Et la roussette ? Ou encore le virevoust et l'obligo ?

– Eh bien, tu as étudié tes classiques ! ai-je répliqué, amusé.

– Ça, c'est sûr ! Je ne veux pas rester *ad vitam aeternam* un rampant collé aux pavés.

Il a contemplé les cheminées loin au-dessus de nos têtes.

– Je veux monter là-haut... Alors, vous m'apprendrez ? Voici ma carte.

Florian a exploré les poches de son gilet élimé. Il en a sorti une carte manuscrite avec son nom et l'adresse d'un immeuble miteux dans le quartier des coupeurs, qu'il m'a donnée avec un fervent sourire.

Il faut bien commencer quelque part, ai-je pensé en prenant la carte du jeune garçon. J'étais un humble manœuvre-balai esseulé lorsque Tom Silex a croisé mon chemin. Il apportait un récépissé à l'usine de mise en bouteilles et il m'a remarqué en train de me balancer aux poutres de l'atelier pendant que le contremaître ivre dormait...

Les yeux pleins d'attente de Florian étaient braqués sur moi.

– Je suis très occupé pour l'instant, petit, ai-je répondu, et la déception a rembruni son visage, tel un orage qui assombrit la fête. Mais je vais voir ce que je peux faire...

J'ai rangé la carte dans une poche de mon gilet.

– Vous me le promettez ? a demandé Florian, se déridant.

– Je te le promets.

Il a tourné les talons et s'est éloigné en direction de la ruelle des Brotteaux aussi vite que ses bottes trop grandes maculées de boue le lui permettaient. Il craignait que je ne change d'avis, j'imagine – et, qui sait, il avait peut-être raison. La dernière chose dont j'avais besoin à ce moment précis, c'était d'un nouveau venu sans expérience.

J'allais escalader le tuyau lorsque j'ai aperçu quelque chose par terre. Dans son enthousiasme, le jeune envoyé tic-tac avait laissé tomber l'une de ses lettres sur les pavés mouillés. Je me suis penché pour la ramasser ; l'enveloppe détrempée s'est ouverte dans mes mains. Je me disposais à la recacheter (une goutte de cire extraite de la boîte que j'avais sur moi aurait fait l'affaire) mais les armoiries du papier à lettres ont attiré mon attention.

Manoir Fougeraie.

Florian Pastor devait être l'envoyé tic-tac dont avait parlé M. Torsejambe, me suis-je dit. Malgré moi, les doigts tremblants, j'ai dégagé la lettre de l'enveloppe, je l'ai dépliée et me suis mis à lire...

Très chers parents, j'espère que cette lettre vous trouvera en bonne santé. Je me suis bien adapté ce trimestre. Je travaille très dur et j'apprends énormément. Les cours sont très intéressants, les professeurs nous traitent bien – et les repas sont copieux. Surtout ne vous faites aucun souci. Vous allez être fiers de moi. Votre fils qui vous aime, Jules.

Aucun doute. Excepté le prénom à la fin, la lettre était l'exacte copie de celle que le charbonnier avait reçue – jusqu'à l'écriture élégante.

J'étais révolté. J'avais déjà vu des courriers de ce type. Une seule conclusion possible : le manoir Fougeraie était devenu un pensionnat prison.

J'ai secoué la tête. Archimède Berris m'avait paru être un directeur si respectable, et les élèves avaient semblé si heureux et si bien traités. Mais cette lettre et toutes ses copies conformes dans le sac de Florian, avec leurs propos rassurants et sereins destinés aux familles et aux tuteurs, étaient pour moi une véritable sirène d'alarme. Je n'avais pas le choix.

Il fallait que je retourne au manoir Fougeraie et que je découvre les raisons de ce bouleversement tragique. Je suis parti sur-le-champ. Au fond, comme nous le disons, nous les envoyés tic-tac : ne remets pas au lendemain ce que tu peux faire le jour même !

CHAPÎTRE 8

C'était une nuit sombre, sans lune, et comme les rues éclairées laissaient la place aux étroits chemins bordés de haies des faubourgs sud, j'ai frémi d'appréhension. Un peu plus loin, le grand portail à double battant du manoir Fougeraie se découpait sur le ciel étoilé. Alors que je m'approchais, j'ai vu qu'une lourde chaîne à cadenas, tel un python enroulé, le fermait.

Ainsi, c'était vrai, ai-je songé avec tristesse. Le manoir Fougeraie était bel et bien devenu un pensionnat prison.

Dans ces circonstances, je n'avais qu'une chose à faire. Il fallait que je m'introduise en cachette et que j'obtienne un message de l'un des malheureux élèves cloîtrés. Un mot griffonné, accompagné par une boucle de cheveux ou une peluche adorée, avertirait papa et maman chéris des infortunes de leur petit ange.

D'après mon expérience, il valait mieux étouffer dans l'œuf de telles dérives. En général, une fois que je leur avais remis l'appel au secours, les parents prenaient le relais : ils alertaient les autorités pour qu'elles prononcent la fermeture définitive de l'établissement. Dès que des problèmes s'annonçaient, les escrocs et les imposteurs qui tenaient ces écoles rassemblaient ce qu'ils pouvaient et disparaissaient – à condition, précisons-le, que la situation n'ait pas viré au tragique et que le sang n'ait pas coulé...

J'espérais juste que j'arrivais à temps.

Ayant vérifié que la voie était libre, j'ai entrepris de franchir le battant gauche du portail. En fer forgé, orné de spirales et de savantes arabesques, il était peint en noir... et facile à escalader. En un clin d'œil, j'avais enjambé le F décoré au sommet et je m'étais laissé glisser de l'autre côté. Immobile, j'ai guetté l'aboiement d'un chien de garde.

Mais le silence régnait.

Près du portail, la loge du concierge se trouvait dans un état lamentable. La porte, défoncée, pendait à ses gonds et toutes les fenêtres étaient cassées. Je suis entré. Il faisait noir comme dans un four. J'ai fouillé une poche de mon gilet à la recherche d'une boîte d'allumettes. J'en ai gratté une, puis j'ai levé la flamme dansante et regardé autour de moi.

À l'évidence, quelqu'un avait voulu se venger du commandant. Les lieux avaient été saccagés : les rideaux arrachés des fenêtres, les tableaux détachés du mur et lancés par terre. Un vieux fauteuil en cuir était renversé, son rembourrage se répandait comme les entrailles d'un bœuf abattu, et une table en chêne était réduite en morceaux.

Je suis ressorti, me souvenant de la lueur farouche, tourmentée, dans les yeux du concierge. Pauvre homme intègre. Il avait dû refuser de suivre le directeur et ses complices, ce qui lui avait valu le martyre. Manifestement, il avait réussi de justesse à sauver sa peau ; mais en réalité, bien sûr, son sursis s'était révélé d'une brièveté tragique.

Alors que je frottais une autre allumette, j'ai aperçu quelque chose à mes pieds. C'était une grosse plume ornée d'un pompon. Émeraude vif, aux barbes fines. Je me suis penché pour la ramasser.

Les précieux oiseaux empaillés du directeur, ai-je pensé avec mépris tandis que je l'examinais. Ces horribles choses mortes semblaient compter davantage pour lui que les créatures bien vivantes, de chair et de sang.

J'ai jeté un coup d'œil à la loge dévastée. En matière de pensionnats prisons, celui-ci paraissait terrible. Le mal était à l'œuvre. Je le sentais. Serrant la poignée de ma canne-épée, j'ai tourné le dos à la loge et traversé les terrains de jeux en direction des bâtiments principaux très éclairés.

Ils étaient, je devais l'admettre, magnifiques – splendeur qui rendait d'autant plus regrettable le bouleversement dans la situation de l'école. De part et d'autre du grandiose portique central, doté de quatre colonnes en stuc et surmonté d'un fronton grec, s'étendaient les majestueuses ailes est et ouest. Au-delà du portique s'ouvrait la cour dans laquelle, pendant que je m'approchais en catimini, j'ai entendu résonner des voix.

D'instinct, je me suis accroupi. J'ai retiré mon haut-de-forme, l'ai aplati et glissé dans ma veste. De mon pouce droit, j'ai actionné le mécanisme de ma canne-épée alors que, au milieu des terrains, je me tapissais dans les ténèbres et j'attendais.

Les voix ont enflé, sourdes et monotones, comme un vrombissement d'abeilles furieuses, et se sont associées pour scander, insistantes :

– Pourchassons le porc !

Tout à coup, des acclamations sonores ont fusé, suivies, un instant plus tard, d'un cri de terreur atroce, suraigu.

Au nom des feux de l'enfer, que se passait-il donc ? me suis-je demandé alors que mes muscles se crispaient dans l'obscurité.

Je n'ai pas tardé à le savoir.

Un personnage solitaire a surgi d'entre les colonnes du portique et s'est élancé sur le terrain de jeux, courant aussi vite que ses jambes le lui permettaient.

Derrière lui, hurlant et huant comme une horde de démons forcenés, venait une foule de poursuivants.

Certains portaient des torches, dont les flammes jaunes jetaient un halo de lumière dansant sur la cohue grouillante. D'autres brandissaient des battes et des gourdins ; d'autres encore agitaient des pieds de table cassés, des fragments de pupitres. Deux arboraient des coiffures décorées de plumes. Plusieurs avaient des couvertures ou des rideaux drapés sur leurs épaules à la façon de capes. Tous étaient résolus à rattraper leur proie.

Le personnage, sanglotant et gémissant de peur, s'est enfoncé dans les ténèbres des terrains, et j'ai reculé alors qu'il venait droit sur moi à pas lourds. Soudain, avec un bruit mat, il a trébuché et est tombé la tête la première dans l'herbe terreuse. Je me suis avancé et, le prenant par le bras, l'ai hissé sur ses pieds. Il a tourné vers moi son visage maculé de boue, les yeux écarquillés de terreur.

C'était le professeur d'éducation physique, M. Cnême.

Ses lèvres gercées ont remué.

– Aidez-moi, m'a-t-il supplié d'une voix réduite à un murmure rauque. Aidez… moi…

– Pourchassons le porc ! Pourchassons le porc !

Aux cris diaboliques de la foule, le professeur s'est ressaisi. Il m'a écarté de son chemin et s'est éloigné

Hurlant et huant comme une horde de démons forcenés,
venait une foule de poursuivants.

dans l'obscurité en direction du portail de l'école, unique issue possible. Ses poursuivants le serraient de près. Je me suis de nouveau accroupi, protégé par les ténèbres, tandis qu'ils passaient devant moi tel un ouragan.

J'ai senti la chaleur des torches et l'odeur de la poix en fusion. J'ai vu le tourbillon des armes menaçantes, entendu le tumulte et la clameur de voix qui semblaient presque inhumaines.

Une silhouette enveloppée dans un pan de rideau rayé a lâché un pied de chaise taillé en pointe et s'est baissée pour le ramasser dans la boue. Le rideau a glissé de ses épaules. J'ai reconnu aussitôt le visage rond aux joues roses, les cheveux ébouriffés.

– Sidoine fils, ai-je marmonné entre mes dents.

Un instant après, il saisissait le pied de chaise et repartait avec les autres, braillant à pleins poumons. J'ai pensé à son père en train de lire la lettre factice et je me suis demandé ce que « le père le plus fier du monde » aurait à dire s'il voyait son rejeton en ce moment.

– Pitié ! Pitié ! Pitié !

Les cris navrants du professeur d'éducation physique résonnaient à l'autre bout du terrain, par-dessus l'allégresse de ses poursuivants. Ceux-ci avaient manifestement rattrapé leur victime.

Restant dans le noir, hors de la lumière dansante des torches, je me suis approché autant que je l'osais.

Après le désordre apparent de la poursuite, ils procédaient désormais avec calme et méthode. J'ai vu l'éclat du cuir et un reflet métallique fugace, brillant, alors qu'ils passaient une première ceinture d'écolier autour du cou de Cnême, une seconde autour de sa taille, et les attachaient ensemble. Tandis qu'ils s'affairaient, leurs cris et bravos épars ont cessé ; ils ont entonné un nouveau slogan :

– Conduisons-le au chef ! Conduisons-le au chef !

Le chant était sourd et hypnotique, et je me suis aperçu que tous adoptaient sa cadence. Ceux qui attachaient le professeur le faisaient à la même allure, pendant que ceux qui regardaient la scène oscillaient comme des métronomes. Le seul à ne pas observer ce rythme envoûtant était Cnême : il remuait et se débattait à la moindre occasion, gardant le fol espoir de se libérer – non que sa résistance soit efficace.

Doucement au début, mais prenant vite de l'ampleur, le nouveau slogan s'est propagé :

– Conduisons-le au chef ! Conduisons-le au chef ! Conduisons-le au chef !

– Non ! s'est écrié Cnême. Non, pour l'amour de tout ce qui est sacré, pas ça ! Lâchez-moi, je vous en supplie ! Lâchez-moi !

Ils l'ont relevé de force sans accorder la moindre attention à ses paroles. Même s'il criait de plus en plus fort, au point de hurler, hystérique, ses appels étaient noyés par le slogan scandé crescendo :

– Conduisons-le au chef ! Conduisons-le au chef !

Quels desseins maléfiques orchestrait donc le directeur dans ce pensionnat prison ? me suis-je demandé tandis que la foule des poursuivants s'approchait.

De même qu'ils avaient oscillé, de même défilaient-ils à présent, tous en cadence, retraversant les terrains au rythme du chant martelé. Au milieu d'eux, M. Cnême avait renoncé à se débattre. Il marchait avec tant de soumission, la tête basse et les yeux rivés au sol, que nul n'avait plus besoin de tirer sur les ceintures qui le ligotaient.

Les poursuivants victorieux sont passés devant moi dans l'obscurité. Alors, j'ai saisi le pan de rideau qu'avait perdu le jeune Sidoine, je l'ai jeté sur mon dos et leur ai emboîté le pas. Le chant continuait.

– Conduisons-le au chef ! Conduisons-le au chef !

La sensation d'esprit maléfique que j'avais éprouvée au moment où j'avais escaladé le portail du manoir Fougeraie s'est emparée de moi avec une puissance accrue. J'ai pensé à la belle Mei Ling qui m'attendait pour la leçon habituelle de yinchido. Comme la blanchisserie me semblait loin maintenant que j'entrais dans l'école sur les talons de la foule braillarde !

Jusqu'au plus profond de mon être, j'avais la certitude que des événements terribles se préparaient en ce lieu. Leur nature exacte demeurait un mystère, et pourtant, alors que je franchissais le portique et pénétrais dans la cour, je savais qu'il me fallait le percer.

CHAPITRE
9

– C onduisons-le au chef ! Conduisons-le au chef !
Le slogan a résonné aux quatre coins de la
cour lorsque les élèves se sont avancés sur les pavés
– votre serviteur fermant la marche, enveloppé dans le
rideau déchiré, tâchant d'être discret. Mais je n'avais
pas de gros efforts à faire. Les garçons semblaient bien
trop occupés à tirer et à pousser le professeur au milieu
d'eux pour remarquer ma présence.

Au fond de la cour, au-delà de la fontaine centrale,
l'entrée principale projetait un grand ruban de lumière
qui éclairait les pavés. La foule et son prisonnier ont
serré les rangs sous la galerie voûtée. Je les ai suivis.

J'avais vu des pensionnats prisons où les professeurs
claquemuraient leurs élèves et des rébellions lors des-
quelles les élèves résistaient aux professeurs. Ici, nous
n'étions dans aucun des deux schémas. Certes, le
portail était cadenassé, mais à l'intérieur, les élèves

paraissaient diriger les opérations. Toutefois, à en croire le slogan, le directeur restait en place.

C'était à n'y rien comprendre.

Comme les élèves se pressaient dans le vestibule, je me suis trouvé bousculé et entraîné au cœur d'une vaste cohue, et j'ai perdu M. Cnême des yeux. Regardant au-dessus de l'océan agité des têtes, j'ai aperçu des garçons plus âgés, aux étranges coiffures emplumées, qui orientaient leurs camarades.

– Chambrée du Héron ! a crié l'un d'eux, d'une voix aiguë mais autoritaire. Dans votre dortoir. Chambrée de l'Aigle, vous êtes de faction…

J'ai reconnu Tixiol, le blessé du terrain de pelote ; quoique, avec sa coiffure de plumes émeraude et son visage barbouillé de peinture, il évoquait plutôt un habitant de la jungle qu'un élève de pensionnat. Les mâchoires crispées d'un air résolu, les yeux flamboyants, il a tendu le bras et l'a pointé vers le corridor.

– Chambrée du Faucon, conduisez le prisonnier au chef !

Devant moi, la foule houleuse a commencé à se scinder pour prendre telle ou telle direction. Les garçons entourant la silhouette courbée de M. Cnême se sont éloignés dans le corridor qui menait au bureau du directeur.

– Chez le chef ! Chez le chef ! scandaient-ils, implacables, leurs voix masquant presque les cris angoissés du malheureux professeur.

Il fallait que je me décide sans tarder. Ici, au milieu du vestibule qui se vidait rapidement, j'allais attirer tous les regards, rideau ou pas. Jetant un coup d'œil sur ma gauche, j'ai aperçu la silhouette de Sidoine fils : il montait l'escalier avec, ai-je supposé, les autres membres de la chambrée du Héron. Il pourrait peut-être me renseigner, me suis-je dit en me précipitant derrière lui.

Arrivés au palier, nous avons emprunté un large couloir, avant de gravir un nouvel escalier jusqu'à un second corridor plus étroit, éclairé par des lampes à gaz tremblotantes. Nous l'avons suivi en file indienne, à pas sonores. Des portes, numérotées sur leur panneau central, s'ouvraient de part et d'autre ; à mesure que les élèves atteignaient leur chambre, ils quittaient le groupe et entraient.

Je n'ai pas lâché d'une semelle la silhouette aux épaules tombantes du jeune Sidoine. Lorsque le fils du charbonnier a pénétré dans la chambre douze, je l'ai imité.

Là-haut sous les combles, la pièce était allongée, dépourvue de lampes, avec de petites fenêtres à barreaux dans le toit pentu. Douze lits étaient tassés dans l'espace mansardé, six de chaque côté. Les lieux avaient sans doute été impeccables, voire douillets. Mais ce n'était plus le cas. Draps et couvertures s'amoncelaient sur le sol ; une fine couche de petites plumes, échappées des oreillers crevés, jonchait la moindre surface.

Sidoine, qui marchait désormais du pas fatigué d'un somnambule, s'est avancé puis effondré au bout de son petit lit de fer. Je l'ai accompagné et me suis assis sur le lit voisin. J'ai observé le jeune garçon : dans la faible lumière qui venait du corridor, je distinguais son visage blême et ses traits tirés. Les événements de la nuit l'avaient exténué, à l'évidence.

– Sidoine, ai-je dit.

Il a levé la tête, une expression confuse passant sur sa figure joufflue alors que ses yeux se posaient sur moi.

– Sidoine, c'est Edgar Destoits. Nous nous sommes croisés au dépôt de charbon de ton père. Tu te souviens ?

– Mon père, a-t-il chuchoté avec douceur. Mon père…

Il a versé des larmes.

– Sidoine, ai-je insisté, que se passe-t-il ? Que faisiez-vous dehors sur les terrains ?

– Ce que le chef nous avait ordonné, a-t-il répondu, d'une voix sourde et neutre, le regard perdu dans le vague.

– Le directeur vous avait ordonné de pourchasser le professeur ? ai-je demandé. Mais pourquoi ?

– Parce que le chef nous l'avait ordonné, a-t-il déclaré d'un ton ferme.

J'ai pensé à mes propres entrevues avec Archimède Berris. Il m'avait semblé si affable, si paternel, tellement soucieux de l'intérêt des élèves.

Avais-je pu me tromper à ce point ?

– Sidoine, ai-je repris, écartant le rideau en loques et cherchant dans la poche de mon gilet un carnet et un crayon, il faut que tu écrives un mot à ton père. Que tu l'informes de ce qui se passe ici. Je le lui apporterai moi-même...

À cet instant précis, quelqu'un a lancé depuis l'extérieur :

– Extinction des feux !

Les lampes du corridor se sont éteintes brusquement et l'obscurité a envahi le dortoir. Autour de moi, des couvertures ont froufrouté, des ressorts ont grincé tandis que les occupants de la chambre douze se mettaient au lit dans le noir.

Fait étrange pour un dortoir scolaire, il n'y a eu ni les conversations chuchotées, ni les rires étouffés qui accompagnent d'habitude l'extinction des feux ; juste un silence lugubre, bientôt suivi par des respirations tranquilles, régulières. J'ai gémi intérieurement : si j'essayais de me déplacer dans ces ténèbres, je risquais de me heurter à ceci ou cela, de faire un vacarme terrible et d'attirer l'attention – voire de me rompre le cou dans l'aventure.

La lettre de Sidoine était reportée au lendemain. Je n'avais plus qu'à me coucher et à attendre la lumière froide de l'aube. M'enveloppant dans mon rideau déchiré, je me suis assis, calé contre la cloison entre les lits de Sidoine et de son voisin, et j'ai pris mon mal en patience.

J'ai dû m'assoupir, car ce dont je me souviens ensuite, c'est d'une voix à mon oreille, douce et insidieuse :

– *Levez-vous, mes enfants,* disait-elle. *Levez-vous et préparez-vous.*

J'ai ouvert les yeux. La lumière du petit matin entrait à flots par les fenêtres du toit. J'ai promené mon regard sur la chambre, pensant découvrir quelqu'un – un surveillant, peut-être, ou un professeur. Mais il n'y avait personne.

– *Levez-vous, mes enfants,* a repris la voix. *Levez-vous et préparez-vous.*

Manifestement, je n'étais pas le seul à l'avoir entendue. Autour de moi, les occupants du dortoir avaient sauté du lit, s'étaient étirés et sortaient déjà les uns après les autres. Je me suis tourné vers le jeune Sidoine, avec l'espoir que nous pourrions enfin écrire cette lettre informant Sidoine père des ennuis de son fils.

Mais ç'aurait été trop beau. Le garçon, déjà debout, avançait docilement derrière ses camarades en direction de la porte.

– Sidoine, ai-je chuchoté. Sidoine…

J'aurais aussi bien pu parler à un mur. Je l'ai attrapé par les épaules, mais il s'est débarrassé de moi comme un chien mouillé s'ébroue.

De mauvaise grâce, j'ai suivi Sidoine et ses compagnons de chambre dans le corridor puis l'escalier.

J'avais faim ; mon estomac se plaignait plus fort qu'une lavandière par un lundi de pluie. Mais lorsque nous sommes arrivés en bas des marches, rien n'annonçait le petit déjeuner, et les élèves surveillants nous ont orientés vers les salles de classe.

– Formez les rangs, chambrée du Héron ! ont-ils lancé, leurs ordres résonnant dans le corridor.

La plupart d'entre eux portaient une coiffure emplumée alors que d'autres avaient, curieusement, une tenue de professeur (blouse blanche de laboratoire, veste de tweed avec pièces en cuir, toge flottante, toque). Tous étaient armés. Sous l'abri de mon rideau, j'ai empoigné ma canne-épée et je me suis fait discret.

– Chambrée du Faucon, dans les salles ouest ! Chambrée du Héron, dans la cour !

Je me suis placé derrière Sidoine fils et ses camarades tandis qu'ils obéissaient sous l'œil scrutateur des surveillants coiffés de plumes, rangés en ligne. Je m'approchais du dernier d'entre eux lorsque celui-ci s'est penché en avant, m'a saisi le bras et tiré vers lui. C'était Tixiol, mais métamorphosé. Il n'était plus le guide empressé qui m'avait accompagné jusqu'au bureau du directeur lors de ma première visite. Il présentait un visage dur, un regard froid et des mâchoires férocement serrées.

– Qui es-tu ? m'a-t-il demandé. Ta tête ne me dit rien.

– Moi ? ai-je répliqué, soutenant son regard avec flegme. Je suis Destoits. Le cadet.

Il a continué de me transpercer des yeux.

– Je t'ai remplacé un jour sur le terrain de pelote, lui ai-je dit.

Son visage contracté s'est adouci un instant, comme s'il me reconnaissait ou se souvenait. Il m'a laissé partir, mais je savais qu'il restait soupçonneux. Alors que je me remettais en route, j'ai senti son regard pénétrant me suivre jusque dans la cour.

Nous nous dirigions vers l'aile ouest, ai-je constaté. Il y avait des salles de classe au rez-de-chaussée ainsi qu'au premier étage, les portes donnant soit sur des balcons, soit sur la cour elle-même. Avec sa gouttière décorée aux gargouilles grimaçantes, les statues en pierre et en cuivre qui gardaient les entrées, les roses et le lierre qui s'enroulaient autour de chaque fenêtre, l'édifice était digne d'un château. Néanmoins, de plus près, les bruits de bois enfoncé, brisé et fracassé m'ont rappelé bien trop clairement que ce n'était pas ici un palais ducal, mais un pensionnat en plein chaos.

Tout à coup, un immense placard s'est écrasé lourdement sur les pavés à ma gauche dans un vacarme terrible. Des hourras moqueurs ont retenti au-dessus de moi et, levant la tête, j'ai aperçu une demi-douzaine d'élèves à un balcon, qui regardaient la scène, l'air réjoui. Quelques minutes plus tard, un nouveau cri de joie a fusé tandis qu'un tableau noir, précipité du balcon voisin, heurtait le sol avec fracas.

Bientôt, des morceaux de bois ont volé en tous sens, alors que des chaises, des bancs et des pupitres, des armoires et des lambris, et même des lattes de parquet, arrachées aux salles supérieures ou inférieures, s'abattaient avec violence sur les pavés. Durant un moment, les garçons rassemblés dans la cour ont attendu.

– *Construisez*, a ordonné la voix insidieuse, non loin de mon oreille.

Autour de moi, les élèves de la chambrée du Héron ont commencé à ramasser les fragments de mobilier abîmé, brisé, fendu, et à les traîner vers le milieu de la cour.

– *Construisez*, a insisté la voix.

À ma propre surprise, je me suis joint à l'activité frénétique. J'allais et je venais, travaillais avec les autres garçons, déplaçais pupitres cassés et bancs disloqués jusqu'au centre de la cour, et aidais à bâtir une grande structure. Avec mon agilité de voltigeur, il m'était facile de grimper sur le tas de plus en plus imposant et, poussant une porte défoncée par-ci, calant un pied de chaise par-là, de garantir tout à la fois la taille et la stabilité de la pyramide en cours d'édification.

– *Plus haut*, nous pressait la voix. *Plus haut.*

Il a fallu que je retourne chercher du bois, lève par hasard la tête et aperçoive un visage à une fenêtre d'en face pour retrouver soudain la raison. Le visage

– Plus haut, nous pressait la voix. Plus haut.

appartenait à un homme vieillissant. Il avait le dos voûté, les joues creuses et les yeux hagards – mais il s'agissait à l'évidence d'un professeur.

Une seconde plus tard, il a disparu…

Ce devait être la salle des professeurs, ai-je pensé. Peut-être que cet enseignant et ses collègues auraient des réponses à me donner. J'ai décidé de leur rendre visite.

Feignant une petite promenade et guettant par-dessus mon épaule, je me suis esquivé. J'ai contourné l'aile ouest en cachette. À l'extrémité du bâtiment, j'ai découvert un mur de pierre rugueux que j'ai escaladé. Sa surface m'éraflait les genoux et m'égratignait les mains. Avec un grognement d'effort, je me suis hissé sur le toit pentu au sommet. J'espérais une lucarne, mais j'ai eu la déception de voir un horizon d'ardoises.

Sans me décourager, j'ai franchi le parapet, gravi la pente jusqu'au faîtage et descendu l'autre pan. De là, j'ai pu m'accrocher à un tuyau très orné (instable et oscillant) et dénicher une petite fenêtre haute qui était demeurée entrebâillée.

Dans un ultime effort, je me suis faufilé… pour atteindre un débarras exigu et, à en juger par la quantité de poussière et de toiles d'araignées, peu utilisé. Avec prudence, j'ai soulevé le loquet et poussé la porte devant moi. Elle s'est ouverte sur un couloir central. J'ai risqué un coup d'œil à droite, puis à gauche.

– De quel côté ? ai-je murmuré.

Alors, j'ai vu la plaque dorée sur la porte d'en face : *SALLE DES PROFESSEURS*, ai-je lu. Quelle chance !

Vérifiant de nouveau que le champ était libre, j'ai traversé le couloir en vitesse et tenté de tourner la poignée. Impossible. Je n'étais guère étonné. J'ai sorti mon passe-partout de la quatrième poche de mon gilet et je l'ai introduit avec précaution dans la serrure.

Sur ma gauche, j'ai entendu des voix. L'une d'elles me rappelait Tixiol. Je me suis figé. À mon grand soulagement, toutes se sont éloignées un instant plus tard.

Clic !

La serrure a cédé. J'ai tourné la poignée, poussé le battant et pénétré dans la pièce. Là, pieds et poings liés, vingt professeurs étaient assis sur le sol, raides, cernés par les débris de ce qui avait été des fauteuils bien rembourrés et des dessertes. Un ouragan semblait avoir frappé le salon de première classe d'un paquebot. Et j'étais en présence des survivants du naufrage.

Ils ont braqué sur moi des yeux écarquillés, fixes – des yeux remplis de peur et d'anxiété, non de l'espoir d'un quelconque secours.

– Tout va bien, ai-je déclaré pour essayer de les rassurer, écartant le rideau qui camouflait mon gilet et ma canne-épée. Je viens de l'extérieur. Je ne suis pas de l'école.

Je les ai considérés tour à tour.

– L'un d'entre vous peut-il m'expliquer ce qui se passe ?...

Je me suis tu, car j'avais soudain remarqué, gisant à mes pieds, le regard dans le vague, de petites plaintes s'échappant d'entre ses lèvres gercées, le professeur d'éducation physique maculé de boue, M. Cnême.

– Que… que lui est-il arrivé ? ai-je demandé.

Le grand professeur au nez crochu dont j'avais aperçu le profil à la fenêtre m'a dévisagé.

– Il a tenté de s'enfuir, a-t-il répondu, la gorge nouée. Ils… ils… l'ont conduit au chef.

CHAPITRE
10

Je regardais le professeur d'éducation physique, qui n'était plus que l'ombre de lui-même, le corps anéanti et l'esprit ravagé, quand j'ai entendu des bruits dans le couloir. Des pas et des voix, qui ont vite augmenté de volume en se rapprochant.

– Suivez-moi, chambrée du Faucon, à l'action !

L'ordre impérieux a retenti juste devant la porte de la salle des professeurs. Quelle négligence de ma part. J'avais ouvert la porte avec un passe-partout... et je ne l'avais pas refermée à clé. Cette découverte allait me trahir.

J'ai bondi et tiré de la poche de mon gilet le passe-partout que j'ai glissé dans la serrure.

– Donne-moi le trousseau, Garin l'aîné.

Mon cœur battait la chamade. La voix de l'élève surveillant était toute proche. Seul ce panneau de bois nous séparait.

À cette injonction, des clés ont tinté au bout d'une chaîne. Je me suis empressé de tourner mon passe-partout, en espérant que personne ne distinguerait le cliquetis révélateur, et je l'ai ôté – juste à temps ! Une seconde plus tard, l'élève surveillant introduisait sa propre clé dans la serrure et la tournait...

Je me suis écarté d'un bond et dissimulé sous un fauteuil renversé près de la fenêtre. *Boum !* La porte s'est ouverte à toute volée, claquant contre le mur.

– Debout, là-dedans ! a hurlé l'un des surveillants. Le chef a du travail pour vous.

– Et que ça saute ! a crié un autre.

Depuis ma cachette, j'ai entendu le fracas d'un gros instrument (une matraque de fortune ou un gourdin garni de clous) qui martelait un placard et l'éventrait.

Il y a eu des soupirs et des plaintes pendant que les professeurs ligotés se levaient tant bien que mal. L'un d'eux a grondé entre ses dents.

– Et en silence ! a tonné le premier surveillant. Conduisez-les dans la galerie des oiseaux.

Des pas lourds ont de nouveau résonné alors que les garçons se rassemblaient dans la pièce.

– Et lui ? a demandé quelqu'un.

– Lequel, Cnême ? a dit le surveillant. Laissons-le ici. Il ne s'échappera pas.

Les garçons ont ricané. Leur indifférence à la souffrance du professeur m'a révolté.

– Allez, vous tous ! Magnez-vous ! a repris le surveillant. Le chef s'impatiente.

Tandis que les pas et les voix s'éloignaient, j'ai jeté
un coup d'œil de derrière le fauteuil abîmé. Les
deux derniers professeurs, encadrés chacun par des
garçons brutaux qui les poussaient avec leurs armes de
fortune, disparaissaient dans le couloir. Un grand élève
surveillant, aux cheveux roux sous une coiffure de
plumes bleues, fermait la marche : il a tendu le bras et
saisi la poignée de la porte.

Un instant plus tard, celle-ci a claqué. J'ai patienté
un peu, puis je suis sorti de ma cachette. M. Cnême,
assis sur le sol, regardait par la fenêtre, les yeux
sans vie, les paupières immobiles. Il n'avait sans doute
rien remarqué de la scène qui venait de se
dérouler.

– Tenez, ai-je dit avec douceur en lui remplissant
une tasse d'eau à une cruche ébréchée. Buvez.

Il ne m'entendait pas plus qu'il ne me voyait, et
lorsque j'ai porté la tasse à ses lèvres gercées, l'eau lui a
simplement coulé sur le menton. C'était désespéré. Le
professeur m'évoquait les oiseaux empaillés d'Archimède Berris : creux, inanimé... Je ne pouvais rien
pour lui.

J'ai frissonné. Je n'étais pas certain que quelqu'un
puisse encore quelque chose pour lui.

Les professeurs se dirigeaient vers la salle des
oiseaux et j'avais l'intention de les suivre, mais à bonne

distance. Je n'avais, pour ma part, aucune envie de me retrouver chez le directeur. Empoignant ma canne-épée, je suis sorti dans le couloir.

J'entendais, de moins en moins fort, les bruits de pas auxquels se mêlaient les prières et les protestations des prisonniers.

– Je vous en conjure, Hébert, a imploré l'un. Arrêtez cette folie. Vous avez bon cœur…

– Mauricet ! a lancé un autre. Il n'est pas trop tard. Libérez-nous, et nous pourrons discuter…

Au bout du couloir, j'ai regardé par une grande fenêtre. Dans la cour, les chambrées du Héron et de l'Aigle continuaient à bâtir la pyramide de meubles brisés.

Et quelle pyramide !

Ses quatre faces se composaient d'une série de marches irrégulières montant jusqu'à une plate-forme supérieure, presque aussi haute que les toits qui bordaient la cour. Il avait sans doute fallu dépouiller en totalité les salles voisines pour construire cet énorme tas.

Devant moi, les professeurs en rangs par deux s'engageaient dans un escalier latéral – dont je savais, par ma première visite, qu'il menait à la galerie des oiseaux. Les élèves surveillants maniaient leurs gourdins et tempêtaient contre les malheureux, qui suppliaient toujours d'être libérés.

– Le chef a dit : pas de bavardage ! Dépêchez-vous, le temps presse !

À cet instant, juste dans mon dos, un bruit m'a fait tressaillir d'effroi. J'ai pivoté sur mes talons, serrant ma canne-épée sous mon pan de rideau… et j'ai découvert un Sidoine fils tout brûlant et en nage. Il gravissait l'escalier clopin-clopant, un sac en tissu sous un bras, un panier d'osier sous l'autre.

– Aidez-moi, a-t-il soufflé, hors d'haleine, me fourrant le panier dans les mains.

Je me suis chargé du fardeau et j'ai suivi le jeune garçon, qui était plus rouge que jamais à cause de ses récents efforts dans la cour, ses cheveux filasse collés aux tempes par la sueur.

– Qu'est-ce que c'est ? ai-je demandé.

Il a froncé les sourcils.

– La boîte à couture de la lingère, évidemment, a-t-il répondu, haletant. Le chef la veut en galerie des oiseaux. Sans délai. Et ça (il a levé le sac en tissu), c'est la réserve de fil. Venez ! Il faut s'activer, a dit le chef…

Nous avons descendu le couloir, laissé derrière nous la grande fenêtre, puis tourné à gauche dans l'escalier menant à la salle des oiseaux. Je me suis rappelé mon précédent passage ici. Le directeur avait souligné que les élèves n'avaient pas le droit d'y venir sans surveillance. Or Sidoine et moi l'empruntions sur son ordre exprès.

Cette rébellion n'avait aucune logique.

Le chemin jusqu'à la galerie des oiseaux portait toutes les traces du chaos et du saccage qui avaient affecté le reste de l'école. Le tapis de sol était arraché, les tableaux accrochés aux murs réduits en miettes. Quant à l'entrée de la pièce elle-même, le bois autour de la poignée était une masse hérissée de pointes, car la serrure avait été enfoncée.

Sidoine a frappé. La porte abîmée s'est ouverte en grinçant et Tixiol est apparu, les mains sur les hanches, la mine impatiente.

– Le chef a dit de s'activer, a-t-il rappelé. Le temps presse.

– Je suis venu aussi vite que j'ai pu… s'est défendu Sidoine, les larmes lui montant aux yeux.

Sans lui prêter attention, Tixiol a indiqué l'intérieur de la salle.

Si le couloir avait souffert de l'indiscipline des élèves du manoir Fougeraie, la chère galerie des oiseaux du directeur était, elle, presque détruite. Toutes les vitrines sans exception avaient volé en éclats et jonchaient désormais le sol, comme la surface brisée d'un lac gelé, crissant sous nos pieds alors que nous entrions.

– Posez-les là-bas ! a ordonné Tixiol, le doigt pointé vers les fenêtres du fond.

Nous avons obéi. Baissant le front, me camouflant sous mon rideau, j'en ai profité pour jeter çà et là des regards furtifs.

À l'intérieur des vitrines se tenaient les professeurs, assis par terre. Devant eux s'empilaient les oiseaux détachés de leurs supports, à côté d'eux des sacs pleins de duvet et de rémiges. Ils s'employaient, méthodiques, à plumer chacun des animaux naguère empaillés, étiquetés et placés avec soin dans un paysage conforme à leur habitat.

Le professeur le plus proche de moi, installé dans un décor de jungle, s'occupait d'un perroquet vert et rouge. Son voisin se concentrait sur un canard. Accroupi dans une savane beige et kaki, la tête penchée, le professeur au nez crochu à qui j'avais parlé s'acharnait sur un flamant rose géant avec la détermination tenace d'un possédé.

– Plus vite, a dit le chef, plus vite ! répétait le surveillant roux, qui circulait entre les professeurs courbés en brandissant une canne.

Alors même qu'il prononçait ces mots, j'ai entendu une voix près de mon oreille.

– *Plus vite, mes enfants,* chuchotait-elle, insistante. *Travaillez plus vite !*

Comme en réaction, le rouquin a fait pleuvoir une série de coups violents sur les épaules des malheureux professeurs, qui ont gémi, pitoyables. J'ai senti le sang me monter au visage et esquissé un pas vers la brute, mais une main m'a retenu.

– Hep ! Destoits, le cadet, je ne me trompe pas ?

J'ai fait volte-face : Tixiol me considérait d'un œil méfiant.

– Rassemble les plumes et apporte-les au couseur de capes.

Du menton, il a désigné le centre de la pièce. J'ai suivi son mouvement.

Là, au milieu du chaos, un petit élève blond, portant des lunettes cerclées de métal et un immense tablier garni d'aiguilles en tout genre, confectionnait avec zèle ce qui semblait être un grand tapis de plumes.

Je me suis baissé pour ramasser un sac de plumes exotiques, vestiges d'une cigogne à pattes roses des marais d'Ocavandie, d'après l'étiquette sur la vitrine. Frôlant Tixiol au passage, je me suis avancé sur les débris de verre en direction du minuscule tisseur.

Tandis que je me penchais sur le petit bonhomme, dont les doigts agiles allaient et venaient dans un tourbillon, j'ai constaté qu'il ne fabriquait pas un tapis. En réalité, s'agitant comme un pivert pris de folie, il cousait les plumes sur des carrés de tissu sombre grossièrement coupés – d'anciens rideaux, vu leur aspect.

Il y en avait douze au total, et le garçonnet travaillait à une vitesse phénoménale, tel un possédé. J'ai posé le sac près de lui. Il a saisi une poignée de plumes et continué à coudre, les yeux rivés sur son ouvrage. Fasciné, je l'ai regardé atteindre le bas du douzième carré, revenir immédiatement au premier et lui ajouter une nouvelle couche.

Quel pouvait donc être le but de cette activité frénétique ? me suis-je demandé.

Un petit élève blond confectionnait avec zèle ce qui semblait être un grand tapis de plumes.

C'est alors qu'une sonnerie de clairon a retenti au rez-de-chaussée. Autour de moi, une clameur a éclaté : les garçons levaient la tête et hurlaient.

Sidoine est apparu près de moi, se léchant les lèvres.

– On va manger ! s'est-il réjoui.

Je me suis soudain rendu compte à quel point j'avais faim. Mon dernier repas, un croque-chauffeur, remontait à plus de vingt-quatre heures. J'avais l'estomac si creux que j'aurais pu dévorer un cheval de trait tout harnaché – sa charrette comprise…

Les surveillants ont aussitôt hurlé leurs instructions. Trois élèves ont reçu l'ordre de rassembler les carrés emplumés et de les transporter en bas. Une dizaine d'autres, ainsi que deux surveillants, ont été chargés de reconduire les professeurs dans leur salle. Le reste d'entre nous s'est dirigé vers le réfectoire.

– Festoyez, dit le chef. Vous avez bien travaillé ! a crié le rouquin dans notre dos.

J'ai descendu l'escalier au milieu d'un flot d'élèves visiblement aussi affamés que moi, qui lançaient des hourras et des youpi. Les portes du réfectoire se sont ouvertes à notre approche et, poussant et pressant parmi la cohue, je me suis retrouvé dans une immense salle sombre aux murs lambrissés, dont le haut plafond voûté présentait de longues poutres massives… mais qui n'avait plus ni bancs ni tables.

Sans doute, ai-je pensé, le mobilier avait-il été réduit en morceaux avec le reste pour bâtir l'immense pyramide extérieure.

À mesure que d'autres élèves arrivaient, le vacarme augmentait. Hurlant, aboyant, glapissant et grondant, ils donnaient plus l'image d'une meute de loups faméliques que d'écoliers prêts à déjeuner. Soudain, les battants au fond du réfectoire ont pivoté. La foule a reculé pour laisser un passage jusqu'au centre de la pièce. Autour de moi, les garçons déchaînés ont décroché de leurs ceintures des couteaux courts, aiguisés, qu'ils ont brandis tandis que leurs cris devenaient des hurlements atroces.

Peu après, une demi-douzaine de garçons plus âgés, athlétiques, est apparue sur le seuil. À eux tous, ils semblaient déplacer quelque chose.

Subitement, alors qu'ils pénétraient dans la pièce, le silence s'est installé. Du premier au dernier, les élèves retenaient leur souffle. On aurait entendu voler une plume. Les six porteurs se sont avancés ; comme ils s'approchaient, je les ai scrutés par-dessus la foule tumultueuse.

J'ai étouffé une exclamation en apercevant ce qui reposait sur leurs épaules : la carcasse d'un cerf abattu, la tête pendant d'un côté, un ruisseau de sang s'échappant d'une profonde blessure à son cou, dans lequel étaient plantées deux flèches empennées. Parvenus au centre du réfectoire, ils se sont inclinés en grognant puis écartés ; leur fardeau est tombé sur le sol avec un bruit mat.

Alors que je baissais les yeux, une voix près de mon oreille a chuchoté :

– *Festoyez, mes enfants. Festoyez.*

Une seconde plus tard, le silence du vaste réfectoire a volé en éclats : deux cents voix aiguës et hurlantes réclamaient du sang. Les élèves se sont précipités, couteaux levés. Telles des bêtes sauvages, ils ont attaqué la carcasse, se sont mis à la déchirer et à la déchiqueter avec leurs couteaux, leurs ongles et leurs dents. Ils ont arraché des lambeaux de chair crue au cerf encore tiède et le sol est devenu poisseux de sang tandis qu'ils jouaient des coudes pour s'emparer d'une bouchée.

J'ai reculé d'un pas mal assuré alors qu'ils s'élançaient, hurlant et glapissant. Ceux qui avaient réussi à se tailler un morceau acceptaient de céder la place, s'éloignaient dans les coins et, hargneux, menaçants, gesticulants, défendaient les bouts de viande crue contre quiconque s'approchait trop. D'autres, arrivés près du cerf abattu, enfouissaient leur figure dans la carcasse sanglante et tranchaient leur propre part.

Je me suis détaché de cette foule écœurante et dirigé vers le fond de la pièce. J'avais le vertige, le front moite et froid. J'étais très ébranlé, et j'avais besoin de réfléchir un peu.

Jamais je n'obtiendrais une lettre de Sidoine (ou d'un autre élève) ; je devais donc sans délai m'enfuir du manoir Fougeraie et avertir les autorités de cette horreur. Je me suis retiré sur la pointe des pieds, vérifiant d'un coup d'œil que personne ne me suivait, et je m'avançais vers la loge lorsqu'une pensée m'a frappé.

Les professeurs étaient toujours enfermés dans leur salle.

Je ne pouvais pas les laisser prisonniers. Pas avec cette folie qui envahissait l'école. Si les élèves avaient été capables d'abattre un cerf et de le dévorer, que pourraient-ils bien faire subir à leurs malheureux enseignants ?

J'ai rebroussé chemin en hâte. Sautant par une fenêtre brisée au rez-de-chaussée, j'ai traversé à toute allure le champ de ruines d'un laboratoire de sciences et monté l'escalier à l'autre bout. Quelque part derrière moi, je distinguais les cris et les hurlements des élèves assoiffés de sang, qui continuaient leur festin barbare. J'ai dévalé le couloir de l'étage jusqu'à la porte de la salle des professeurs.

C'est seulement lorsque j'ai cherché mon passe-partout dans la poche de mon gilet que j'ai senti combien mes mains tremblaient. En dépit de ma soudaine maladresse, j'ai réussi à sortir la clé (je respirais profondément, pour essayer de retrouver un peu mon calme) et je l'ai insérée dans la serrure. À l'intérieur, des voix ont fusé, affolées.

– Tout va bien, ai-je murmuré. C'est moi, Edgar Destoits…

Je m'apprêtais à tourner la clé quand quelqu'un a sifflé dans mon dos, menaçant :

– Destoits, le cadet. J'aurais dû m'en douter…

CHAPITRE 11

J'ai pivoté sur mes talons et je me suis trouvé face à Tixiol dans sa coiffure de plumes émeraude, tenant à deux mains une lourde batte de jeu de pelote. Derrière lui, les onze autres élèves surveillants (coiffés et armés de façon identique) me regardaient de travers, comme des faucons des champs observant un pigeon des villes.

– Destoits, le cadet, a grogné Tixiol. Je t'avais à l'œil depuis le début…

– Je peux tout expliquer, ai-je commencé.

J'essayais de gagner du temps pendant que je calculais mes chances. Elles semblaient bien maigres. J'étais seul contre douze. Dans un combat loyal, je n'avais pas le moindre espoir. J'ai effleuré ma canne-épée sous ma cape – sachant quels terribles dégâts sa lame pouvait provoquer.

Mais non. Je ne voulais pas répandre le sang. Certes, une mystérieuse folie s'était emparée d'eux, pourtant ils restaient de simples écoliers. Il devait y avoir un autre moyen…

– Je ne faisais que passer, ai-je prétendu, quand j'ai entendu de l'agitation à l'intérieur. J'ai pensé que les professeurs préparaient peut-être une évasion, alors j'ai décidé de vérifier…

– *Saisissez-le !* a sifflé une voix près de mon oreille.

Un instant plus tard, Tixiol et ses camarades se jetaient sur moi tels des joueurs au cours d'une partie de pelote. Ils étaient vifs, mais je l'étais davantage. Je n'avais pas étudié pour rien l'art séculaire du yinchido avec ma belle formatrice, Mei Ling, durant tout l'été. Aujourd'hui, « la voie de la brume d'argent » venait à mon secours.

J'ai bondi sur la droite, dans le petit espace entre Tixiol et le grand rouquin près de lui. Tombant à genoux, j'ai renversé un robuste garçon en coiffure cramoisie qui arrivait dans mon dos et j'en ai bousculé deux autres d'un coup d'épaule tandis que, d'une glissade, je m'écartais.

Debout en un clin d'œil, j'ai dévalé le couloir, les élèves emplumés à mes trousses comme une volée de paons furieux. J'ai obliqué à gauche, puis à droite, le bruit des pas résonnant derrière moi dans les couloirs dépouillés. Je me dirigeais vers l'escalier menant au vestibule.

Si je réussissais à atteindre la cour, une issue se présenterait peut-être, me disais-je…

Alors que je tournais à l'angle suivant, j'ai brisé mon élan. Visiblement, les élèves s'étaient séparés. Six continuaient de me poursuivre. Quant aux autres, emmenés par Tixiol, ils avaient rebroussé chemin : ils se dressaient sur le palier désormais et me barraient la route.

J'étais cerné !

J'ai touché le mécanisme de ma canne-épée. Il aurait été si facile de l'actionner et de dégainer…

Non ! me suis-je de nouveau interdit. Ce sont des écoliers. Je ne peux pas les blesser !

– *Saisissez-le !* a sifflé la voix.

Devant moi, trois élèves se sont approchés. Ils décrivaient avec leurs maillets des moulinets classiques à hauteur de cheville, pendant que leurs trois camarades restaient en retrait pour les protéger. M. Cnême les avait bien entraînés au jeu de pelote, ai-je pensé avec une ironie amère. Dans mon dos, je sentais un autre trio armé de battes s'avancer.

En moi-même, j'ai compté les secondes : une… deux… trois… Et hop !

J'ai bondi sur place, les jambes repliées, faisant tournoyer ma canne-épée au niveau des épaules. Au-dessous de moi, les six élèves ont reçu de plein fouet dans les chevilles les coups qui m'étaient destinés tandis que ma canne-épée leur percutait la tête. Ils se sont effondrés telles des quilles peintes sur un champ de foire alors que je reprenais contact avec le sol et reculais contre la balustrade bordant le palier.

Dans le vestibule, des garçons quittaient leur horrible festin et levaient des visages interrogateurs, maculés de sang, vers le tapage en contre-haut. Devant moi, Tixiol et les cinq élèves restants ont enjambé leurs collègues à terre et se sont préparés à l'assaut final.

– Écoutez, je ne veux pas me battre avec vous, ai-je imploré. Laissez-moi partir avant qu'il ne soit trop tard et qu'il y ait un blessé grave...

J'avais l'impression de parler à des sourds, vu le dédain de Tixiol et de ses copains pour mes propos. Ils semblaient porter des masques et leurs yeux étaient aussi éteints et inexpressifs que ceux des statues de marbre.

Sur ma gauche, le rouquin a brandi sa batte en direction de ma tête, tandis que deux autres m'attaquaient sur la droite, leurs maillets visant mes tibias. D'un saut, j'ai reculé hors d'atteinte du rouquin et pointé un coude qui l'a touché à la gorge, tout en détendant les jambes vers les deux adversaires à ma droite. Le talon de ma botte les a frappés tour à tour en pleine figure... Et les trois élèves se sont agenouillés, gargouillant et le souffle coupé, tandis que je retombais sur mes pieds. Derrière moi, les deux derniers compagnons de Tixiol ont hésité alors que, désespéré, je les menaçais de ma canne-épée gainée.

– Il n'est pas trop tard… ai-je commencé.

Soudain, avec un rugissement de rage guttural, animal, Tixiol s'est jeté sur moi, le visage déformé par une haine absolue. D'instinct, je me suis écarté et re-croquevillé.

Tixiol, gesticulant et incapable de s'arrêter, m'a dé-passé comme une flèche, a franchi la balustrade et basculé dans le vide. L'estomac noué, je l'ai suivi des yeux entre les balustres, juste à temps pour aper-cevoir la stupeur affolée sur son visage.

Quelques instants après, un choc épouvantable s'est fait entendre, et je me suis forcé à regarder. Là-bas, sur le sol en marbre de l'entrée, gisait le corps désarticulé de Tixiol, bras tordus, jambes fléchies, la tête entourée d'une flaque de sang rouge sombre de plus en plus large.

Trop tard, j'ai distingué derrière moi le sifflement révélateur d'une batte de pelote qui tournoyait et senti un coup puissant sur ma nuque. Il y a eu un éclair de douleur.

Puis plus rien…

Lorsque je suis revenu à moi, deux élèves brutaux me traînaient par les jambes dans l'escalier. J'avais les mains attachées, ma canne-épée avait disparu et ma tête cognait douloureusement contre chacune des marches au fur et à mesure de notre descente. Arrivés dans le vestibule, ils m'ont hissé sur mes pieds. Nous sommes

Soudain, avec un rugissement de rage guttural, animal, Tixiol s'est jeté sur moi.

passés devant le pauvre Tixiol, toujours allongé comme un pantin disloqué au milieu d'une mare de sang.

Le plus effrayant dans cette scène horrible était peut-être l'indifférence que la foule des garçons affichait à l'égard de son cadavre. Quelque chose n'allait vraiment pas au manoir Fougeraie, me suis-je dit alors que les élèves me tiraient le long d'un couloir lambrissé. Un esprit maléfique régnait sur les lieux, transformait les élèves en bêtes féroces insensibles à la souffrance.

Mais qui en était responsable ?

Nous nous sommes arrêtés. J'ai levé les yeux vers la plaque vissée dans le panneau de bois sombre de la porte : un seul mot y figurait, en lettres d'or élaborées.

DIRECTEUR.

La porte s'est ouverte lentement et les élèves m'ont projeté à l'intérieur, chancelant. La porte grinçante s'est refermée derrière moi. À première vue, j'étais seul dans le bureau obscur.

Ce qui m'a frappé d'abord, c'est l'odeur. Un curieux parfum entêtant, comme un mélange de formol et de bougies tout juste éteintes, qui m'a pris à la gorge et donné le vertige. Il semblait émaner de l'unique source de lumière, une lampe à huile fumante posée au centre de la table du directeur, près d'un encrier et d'une plume déchiquetée. La faible lueur qu'elle émettait, orange, tamisée, produisait presque plus d'ombres qu'elle n'éclairait.

Derrière la table, il y avait un grand fauteuil en cuir à joues pleines, tourné vers le mur auquel les titres du directeur étaient suspendus dans des cadres dorés. Le verre était lézardé, les diplômes déchirés et salis, mais je distinguais encore l'en-tête d'une très ancienne université et les mots qui suivaient le nom du directeur.

Archimède Berris, licencié ès lettres (avec mention), docteur ès lettres, membre de la Société royale de littérature.

Tandis que j'observais les diplômes, le fauteuil en cuir a pivoté lentement et une silhouette tassée est apparue : le directeur en personne, quasi méconnaissable. Ses vêtements étaient tachés de sang et, par endroits, réduits en lambeaux, comme labourés par les serres d'un cruel oiseau de proie. Il avait le visage amaigri, les cheveux collés, raides, le teint pâle et cireux, la peau couverte de bleus.

Il a braqué sur moi ses yeux enfoncés, cernés, pleins de souffrance. Ses lunettes étaient tordues, leurs verres brisés, et elles pendaient d'une oreille tel un ornement barbare. Mais peu importait, car Archimède Berris me traversait du regard, tourmenté, aveugle au monde.

– Qu'ai-je fait ? Qu'ai-je fait ? bredouillait-il encore et encore pour lui-même, de la salive coulant aux coins de sa bouche.

Je crois qu'il n'était pas conscient de ma présence dans la pièce. L'horrible spectacle à l'origine des frissons et des spasmes qui lui secouaient tout le corps, lui seul le voyait.

– Mes enfants, murmurait-il d'une voix réduite à une plainte abattue. Mes enfants.

Il a tressailli.

– Mes pauvres, pauvres enfants.

Des larmes ont jailli dans ses yeux et roulé sur ses joues, laissant des traces baveuses sur sa figure sale.

– Qu'ai-je fait ?

– *Par ici*, a sifflé une voix qui semblait chuchoter près de mon oreille.

Ç'a été mon tour de tressaillir, alors que je regardais vers le fond du bureau, derrière le directeur balbutiant. Il y avait une autre porte.

Elle s'est ouverte lentement, comme tirée par une main invisible, et un petit cabinet noir est apparu. C'était la bibliothèque personnelle du directeur, aux murs tapissés d'étagères chargées de livres à reliure de cuir. L'odeur que j'avais remarquée en arrivant est devenue plus forte que jamais.

Malgré moi, je me suis avancé et j'ai pénétré dans le cabinet de lecture. Sur le mur d'en face, les étagères et les ouvrages manquaient ; leurs restes déchirés, en lambeaux, formaient à présent une pyramide rudimentaire au sommet aplati – modèle réduit de la grande pyramide que les garçons avaient édifiée dans la cour.

De petites bougies dansantes ornaient chacune de ses marches grossières, ainsi que des encriers qu'on avait vidés pour y placer un encens aigre, dont la fumée montait en volutes et répandait un brouillard enivrant dans la pièce. Autour de la base de la pyramide, les os provenant d'anciens repas barbares, ai-je supposé, jonchaient le sol : têtes et bois de cerfs, cages thoraciques bombées.

Mais ce n'est pas ce qui a retenu mon attention. Non, ce qui m'a coupé le souffle et fait reculer d'instinct était l'objet trônant sur la pyramide... niché dans un doux matelas de plumes exotiques...

Un crâne émeraude.

Il était recouvert d'éclats de pierre verte translucide (du jade, peut-être, ou de la malachite), tous magistralement découpés et mis en place. La moindre portion de crâne – la mâchoire saillante, les fosses nasales déchiquetées, les plis grotesques sur le sommet renflé, même les longues dents, fixées dans une ignoble parodie de sourire – portait ce placage vert éblouissant.

La mosaïque du crâne émeraude était extraordinaire, toutefois elle n'avait rien de comparable avec les yeux étincelants. Encastrés dans les orbites osseuses, deux énormes rubis rouge sang aux innombrables facettes brillaient et scintillaient à la lueur dansante des bougies, braqués sur moi.

Je ne pouvais détacher mes yeux de cet effroyable regard cramoisi. J'étais paralysé. Ma force semblait m'abandonner. Mes jambes ont molli, ma respiration est devenue rauque et laborieuse, ma poitrine s'est contractée, comme si un poing invisible se refermait autour de mon cœur.

Et, tandis que je plongeais mes yeux en eux, les rubis du crâne ont commencé à luire, éclairés par un feu intérieur de plus en plus vif, au point de flamboyer tels deux rayons cramoisis pénétrants, qui emplissaient ma vision d'une lumière rouge sang palpitante. Puis, dans un murmure, la voix s'est fait entendre :

– *Agenouille-toi devant moi, misérable esclave. Car*, a-t-elle sifflé, *c'est moi le chef.*

CHAPITRE 12

Je n'oublierai jamais les images qui ont surgi dans mon esprit alors que, fasciné, je contemplais les yeux rouges étincelants du crâne émeraude.

– *C'est moi, Catzicatapetl, le messager émeraude des ténèbres, maître des enfers et seigneur du chaos. Tu m'appartiens...*

La voix sifflait dans ma tête, chacune de ses paroles était empreinte d'une sombre malveillance archaïque.

Je voyais une jungle verte, d'où émergeait une grande pyramide de pierre. J'étais entouré par une immense foule murmurante qui avançait à pas traînants, le front baissé. Elle m'emportait vers la grande pyramide, dont j'ai gravi les marches. À mesure que j'approchais du sommet, les murmures allaient crescendo.

– *Catzicatapetl ! Catzicatapetl !*

Au-dessus de nous, le ciel s'est garni de nuages noirs bouillonnants, qui ont envahi l'horizon telle une gigantesque tache d'encre. J'ai senti des doigts glacés m'enserrer le cœur et un poids accablant m'oppresser la poitrine, de sorte que j'avais de la difficulté à respirer.

– *Catzicatapetl ! Catzicatapetl !*

Le refrain a encore enflé, assourdissant, suraigu. À l'instant où je croyais que ma tête allait exploser, la clameur s'est arrêtée net et, durant une seconde, les yeux étincelants du crâne émeraude ont émis une aveuglante lumière blanche. J'ai éprouvé une douleur intense, fulgurante, comme si des griffes m'avaient ouvert la poitrine ; puis une chaude obscurité duveteuse m'a enveloppé, et je n'ai plus rien entendu excepté la pulsation d'un cœur monstrueux, qui chassait toute pensée consciente.

Boum ! Boum ! Boum !

– *Nos cœurs battent à l'unisson, enfant du Catzicatapetl, serviteur des ténèbres. À présent, rejoins les autres.*

Dès lors, ma perception s'est brouillée et aucune question sur ce que je faisais ou ce que je voyais ne m'a plus effleuré. J'étais comme dans un rêve ; seule la voix qui résonnait par-dessus le battement régulier du cœur existait.

– *Préparez le sacrifice, mes enfants*, a sifflé la voix. *L'heure est proche.*

Dans un état de transe, j'ai suivi le couloir, dont les murs semblaient tantôt pencher jusqu'à se toucher, tantôt s'écarter indéfiniment. Des garçons m'accompagnaient. Ils avaient le visage barbouillé de peinture. Ils tenaient des armes rudimentaires dans leurs poings crispés. Gourdins cloutés. Fléaux articulés. Torches…

Mais la scène n'avait rien de bizarre. Tout était cohérent. Nous ne faisions qu'un avec Catzicatapetl, le messager émeraude des ténèbres. Nous partagions le cœur battant. Le refrain scandé retentissait dans la cour. Tous les élèves se réunissaient dehors et reprenaient l'appel rythmé.

– Catzicatapetl ! Catzicatapetl…

Le son fluctuait, telle une musique au gré du vent.

– *Par ici*, a sifflé la voix dans ma tête, et j'ai quitté le couloir encombré pour entrer dans une pièce sur ma gauche.

La porte a claqué. J'étais dans un vestiaire. Onze élèves surveillants se sont tournés vers moi. Ils arboraient des capes emplumées frémissantes et froufroutantes, des coiffures rouges, violettes, jaunes ou noires et des masques grotesques ornés de becs.

– *Vêts-toi, mon enfant*, a ordonné la voix.

Deux mains brusques m'ont coiffé de plumes et ont drapé une cape autour de mes épaules – des mains dont je me suis aperçu, sans étonnement, qu'elles m'appartenaient. J'ai placé le masque devant mon visage et senti alors un curieux élan de puissance et d'ivresse. La pulsation s'est un petit peu accélérée.

– *Venez, mes condors !* a lancé la voix, presque joyeuse. *Le grand moment ne va plus tarder...*

Je me suis mis au pas derrière les autres et, au rythme de la pulsation, nous avons quitté le vestiaire et trotté jusque dans la cour.

– Catzicatapetl ! Catzicatapetl !

À notre apparition, la fureur hypnotique du refrain a atteint son paroxysme. La cohue des élèves s'est inclinée puis a reculé pour nous laisser passer. Entre ces haies d'honneur, nous avons avancé vers l'immense pyramide de meubles cassés qui se dressait devant nous.

Il y avait dans l'atmosphère quelque chose d'étrange que nous semblions tous avoir perçu, car le silence s'est établi. Le soleil brillait haut dans le ciel, mais une fraîcheur anormale s'était installée. J'ai entendu des chiens aboyer au loin, des moutons bêler ; nous n'étions qu'au milieu de l'après-midi, or de grands vols de sansonnets et de moineaux tournoyaient comme s'ils cherchaient un abri pour la nuit.

– *Approchez, mes condors*, a ordonné la voix.

Nous avons escaladé la pyramide, enjambant les placards brisés et les pupitres disloqués. La flamme des torches dansait. L'encens produisait des rubans de fumée à la fois âcre et parfumée. Sur la plate-forme, onze professeurs débraillés, contusionnés, étaient recroquevillés, ahuris.

– *Le moment est enfin venu*, a sifflé la voix. *Le moment d'inaugurer les ténèbres éternelles, mes enfants...*

Les onze silhouettes emplumées se sont déployées sur la plate-forme.

– *Car lorsque douze innocents m'auront offert leur cœur battant, mon règne recommencera. Le soleil s'éteindra et les ténèbres éternelles recouvriront la Terre... Le Catzicatapetl sera souverain !*

Dans nos têtes, la pulsation s'emballait.

– Catzicatapetl ! Catzicatapetl ! scandaient les élèves en contrebas.

– *Que le dernier venu parmi nous soit le premier à faire le sacrifice !* a sifflé la voix.

Le ciel a paru se tendre et trembler. L'air s'est soudain refroidi.

– *Extirpe son cœur battant !* a ordonné la voix archaïque, chaque syllabe imprégnée d'une sombre malveillance contre laquelle j'étais incapable de lutter.

Au-dessus de ma tête, la lune glissait lentement mais inexorablement vers le disque du soleil. Un affreux crépuscule silencieux envahissait la cour. Et, à mesure que la lumière déclinait, les derniers vestiges de ma volonté de résistance s'évanouissaient. Je ne pouvais rien faire. C'était l'éclipse totale que mon ami RD avait annoncée avec tant d'enthousiasme. Je l'avais attendue aussi avec impatience ; mais à cette heure, dans la cour du manoir, elle semblait présager un effroyable bain de sang.

Comme une grappe de hideux vautours, des personnages indistincts cernaient le grand autel qui se dressait devant moi. Leur visage au bec pointu et leurs longues plumes froufroutantes ont tremblé d'une ignoble impatience tandis que leurs orbites sombres se tournaient en chœur dans ma direction.

Les jambes gauches, vacillantes, je me suis approché à la façon d'un somnambule, gravissant les marches l'une après l'autre, mû par une force irrésistible.

Les silhouettes hideuses m'ont livré passage. Arrivé près de l'autel, j'ai baissé les yeux. Là, nu jusqu'à la taille, couché sur le dos, les bras et les jambes écartés, le directeur était ligoté. Des entailles et des zébrures de fouet parsemaient sa peau – certaines avaient déjà une croûte, d'autres saignaient encore – et ses côtes saillantes donnaient à sa poitrine l'aspect d'un xylophone abîmé.

Sa tête pendait sur le côté ; de ses lèvres écartées sortait une plainte sourde, rauque.

– Pitié, a-t-il imploré, braquant sur moi les yeux terrorisés d'un lapin acculé par un furet. Ne le faites pas, je vous en supplie...

À cet instant, le cercle noir de la lune a masqué les ultimes rayons éblouissants du soleil. L'éclipse était complète. Médusé, j'ai regardé le ciel. Le disque entier était devenu noir comme de l'ébène et, sur son pourtour, un halo hérissé de pointes irradiait : un œil noir impitoyable semblait observer la Terre depuis la voûte céleste.

Le plus grand personnage en habit de plumes s'est avancé face à moi. Il portait une large couronne à plumets bleus irisés. Derrière lui, posé tel un œuf grotesque sur le coussin du grand fauteuil en cuir du directeur, se trouvait l'horrible crâne grimaçant. Comme je le regardais, les énormes joyaux encastrés dans ses orbites ont émis une lueur cramoisie, sanglante, qui a taché la sinistre pénombre de l'éclipse.

Le personnage vêtu de plumes a fouillé dans sa cape et en a tiré un gros couteau de pierre, qu'il m'a présenté. De nouveau, la voix archaïque s'est fait entendre dans ma tête :

– *Extirpe son cœur battant !*

Malgré moi, j'ai tendu la main et saisi le manche du couteau. Alors que j'effectuais ce geste, j'ai senti mon bras monter, comme s'il avait été attaché à un fil tiré par un marionnettiste invisible.

J'ai considéré le directeur ligoté sur l'autel. Une croix peinte, rouge vif, marquait l'endroit où son cœur battait, j'en étais persuadé, aussi violemment que le mien.

J'ai serré plus fort le cruel couteau de pierre, à lame étincelante, tandis que les yeux rubis du crâne grimaçant me transperçaient de leur lueur sanglante. À l'intérieur de ma tête, la voix est devenue un hurlement strident :

– *Extirpe son cœur battant... et donne-le-moi !*

Je me suis dirigé vers la table en acajou du directeur, convertie en autel barbare. La flamme des torches brillait sur la lame en silex. Devant moi, le directeur gémissait, pitoyable – mais j'étais indifférent à sa prière. Le chef avait parlé. Et moi, son serviteur, je devais lui obéir.

Alentour, les volutes d'encens parfumé tourbillonnaient et dansaient comme des voiles soyeux, luisant à la lueur des torches tandis que l'obscurité de l'éclipse s'épaississait. La fumée m'a enveloppé le visage, rempli les yeux et la bouche, envahi les narines.

Douce. Aigre...

Comme je me tenais là, l'odeur caractéristique de l'encens a éveillé quelque chose tout au fond de moi. Je m'en suis imprégné. Douce, et pourtant aigre. Elle me rappelait... me rappelait...

Un croque-chauffeur !

La saveur de la sauce épaisse du feuilleté, associée à l'arôme appétissant des pommes aux épices gorgées de sirop, m'est revenue soudain. Et, en même temps, le visage de Mei Ling m'est apparu, le front creusé de rides et ses beaux yeux pleins d'inquiétude.

– *Extirpe son cœur battant, esclave !* a sifflé la voix du crâne dans ma tête.

Le couteau de pierre a tremblé entre mes doigts.

Je me suis rappelé la voix mélodieuse de Mei Ling, si différente de celle du crâne archaïque : « Regardez les espaces dans la brume… »

– La brume… ai-je murmuré alors que je contemplais les volutes de fumée dansante qui montaient des vases où brûlait l'encens.

Comme de si nombreuses fois déjà (quand j'étais dans la petite pièce au-dessus de la blanchisserie chinoise ou dans ma mansarde), j'ai senti mon regard s'arrêter sur les espaces – longs tunnels qui s'ouvraient et s'éloignaient, sinueux. Je suis entré dans le monde de ce qui n'est pas là ; le monde du silence, de l'immobilité, des espaces…

– *Extirpe son cœur battant !* a hurlé le crâne, au comble de la nervosité, pendant que la pulsation s'accélérait.

Au-dessous de moi, les garçons frappaient au même rythme, tambourinaient contre les pavés de la cour avec leurs matraques et leurs gourdins tout en scandant :

– Catzicatapetl ! Catzicatapetl !

Les yeux rouge sang du crâne émeraude me transperçaient, les yeux noirs et masqués des onze élèves me surveillaient, les yeux écarquillés de terreur du directeur ne me quittaient pas. Mais je gardais mon attention fixée sur la fumée tournoyante tandis que les douces paroles de Mei Ling remplaçaient les ordres du crâne hideux.

« Entrez dans les espaces, Edgar. »

Les espaces…

L'art de l'absence.

La voie de la brume d'argent.

Le yinchido.

– *Obéis-moi, esclave !* a rugi la voix.

Sa puissance m'encerclait et menaçait à tout moment de m'entraîner dans un sombre tourbillon d'oubli. Mais, par un énorme effort de volonté, je me suis concentré sur la lumière rayonnante qu'était Mei Ling, et…

J'ai lâché le couteau de pierre.

L'arme a résonné sur le plateau en acajou de la table, avant de rebondir et de voler dans la cour en contrebas. Il y a eu une sourde exclamation collective suivie par d'horribles claquements de mâchoires : le crâne émeraude s'agitait sur son coussin dans une fureur impuissante.

– *Sacrilège !* a hurlé la voix archaïque. *Supprimez-le !*

Les élèves surveillants se sont tournés vers moi, leurs matraques et leurs gourdins levés. La pulsation a résonné dans l'obscurité angoissante, comme si elle battait la cadence en vue de l'assaut.

Boum ! Boum ! Boum !

Le grand élève avec la couronne de plumes bleues irisées a attaqué le premier. Il brandissait un cruel gourdin clouté qui, avant de recevoir de longues pointes, avait été un innocent pied de piano. Je me suis concentré sur l'espace entre l'élève et son bras tournoyant et je m'y suis glissé.

– Ouh !

L'élève a poussé un cri et perdu son masque, son gourdin n'atteignant que le vide, puis il a chancelé et basculé de la plate-forme. Comme il disparaissait, quatre autres élèves ont pris sa place.

– *Supprimez-le !* a hurlé la voix. *Supprimez-le !*

Deux d'entre eux m'ont menacé la tête avec leurs grosses massues cloutées. Je me suis baissé et empressé de sauter en arrière pour éviter une troisième massue. Il y a eu un fracas lorsque les trois armes se sont heurtées et que leurs propriétaires ont culbuté dans la cour en contrebas. Le quatrième élève, robuste individu aux cheveux noirs bouclés, un grand bec crochu sur la figure, s'est approché de moi avec sa lance artisanale – long bâton au bout duquel était fixé un petit poignard.

Tandis que la lame sifflait près de mon oreille gauche, j'ai feinté sur la droite, avant de bondir très haut pour éviter un nouveau coup. L'élève a gémi alors qu'il chancelait lui aussi. Pendant quelques secondes, il a vacillé tout au bord de la plate-forme en faisant des moulinets frénétiques ; puis, avec un grand cri de désespoir, il a basculé et dévalé le côté de la pyramide, à la désolation des spectateurs.

Je me suis tourné face à mes adversaires. Ils étaient encore six, dont les silhouettes se découpaient, sinistres, dans l'éclat rouge sang que répandaient les yeux rubis du crâne. Avec des hurlements de rage, ils m'ont assailli en faisant tournoyer gourdins, battes de pelote, maillets et lances.

Aussi souple qu'une loutre dans l'écluse encombrée d'un canal, je me suis coulé dans les espaces mouvants, ondulants, parmi les coups qui tombaient dru. Les élèves se sont dispersés et effondrés alors que leurs armes s'entrechoquaient et me laissaient indemne. D'une ultime poussée dans le dos, j'ai envoyé le dernier de mes adversaires emplumés au bas de la pyramide.

Sans prêter attention aux huées de la foule, je me suis agenouillé pour ramasser une batte abandonnée. Je me suis tourné et approché du grand fauteuil en cuir. J'entendais dans mon dos la voix plaintive du directeur :

– Mes pauvres, pauvres enfants… Tout est ma faute… Tout est ma faute…

Devant moi, sur son coussin, le crâne émeraude lançait des regards d'une blancheur aveuglante.

– *Il n'est pas trop tard, mon enfant*, chuchotait-il d'un ton presque suppliant. *Pas trop tard… Plonge tes yeux dans les miens…*

Le visage enfoui dans la douceur aux effluves rances de ma cape de plumes émeraude, j'ai tendu le bras et saisi le crâne d'une main.

– *Non ! Non ! Non !* a-t-il hurlé, comme s'il devinait ce qui allait se passer.

M'arc-boutant, jambes écartées et fermes sur la plate-forme, j'ai jeté le crâne en l'air et ramené ma batte en arrière. Le crâne a atteint le sommet de sa trajectoire. Puis, alors qu'il entamait sa descente, la voix hurlant et la pulsation fébrile se déchaînant plus que jamais, je me suis concentré sur le tonneau d'eau dans l'angle opposé de la cour et, de toutes mes forces…

Vlan !

Le crâne a percuté le centre de la batte et filé dans le noir.

– *Sacrilège !* a-t-il hurlé. *Sacril…*

Dans l'angle de la cour ont retenti un *plouf !* et un sifflement de vapeur tandis que le crâne disparaissait au fond du tonneau.

La pulsation s'est arrêtée ; durant une seconde, chacun a retenu son souffle dans la cour désormais

Le crâne a filé dans le noir.

silencieuse. À cet instant, la lune a terminé son passage devant le soleil, et des rayons éblouissants ont embrasé le ciel. Comme l'éclipse s'achevait, la lumière chaude a de nouveau baigné le paysage. Les oiseaux se sont remis à chanter, les chiens à aboyer. Dans la cour du manoir Fougeraie, la foule des garçons s'est empli les poumons et est tombée, toussant et postillonnant, sur les genoux.

Un moment plus tard, des voix perplexes se sont élevées un peu partout.

– Qu'est-il arrivé ?

– Qu'est-ce donc ?

– Que portes-tu ?

Du haut de la grande pyramide, j'ai promené mon regard sur la foule. Un garçon a ramassé le couteau de pierre et l'a examiné dans sa paume. Un autre a retiré une coiffure emplumée et l'a inspectée. Trois ou quatre jeunes garçons se sont penchés, secourables, sur un de leurs aînés, étourdi par sa chute. D'autres encore ont délivré la rangée de professeurs bouleversés. Certains pleuraient et serraient leurs voisins dans leurs bras, aussi épuisés que soulagés...

La rébellion du manoir Fougeraie était finie.

Je me suis tourné vers la table en acajou sur laquelle le directeur, pieds et poings liés, demeurait allongé, la croix rouge ridicule en travers de la poitrine.

– Tout était ma faute, Edgar, a-t-il chuchoté d'une voix tremblante en me saisissant les mains. Ils n'y sont pour rien, pauvres petits.

– C'est du passé, monsieur le directeur, ai-je dit avec douceur, le libérant et l'aidant à se redresser. Cette folie appartient au passé. Il n'y a pas de victimes...

Je me suis interrompu, une boule douloureuse dans la gorge, alors que je repensais soudain au malheureux Tixiol gisant dans le vestibule au milieu de son propre sang. Un voile humide devant mes yeux a brouillé la cour fourmillante et j'ai tenté de chasser mon émotion. Archimède Berris a dû croire que c'était du soulagement, car il m'a repris les mains.

– Je vous remercie, Edgar Destoits, a-t-il murmuré, avec un geste chaleureux. Je vous remercie mille fois.

– Un sucre ou deux, Edgar ?

– Deux, s'il vous plaît, monsieur le directeur, ai-je répondu.

J'ai jeté un coup d'œil par la fenêtre du bureau. J'avais du mal à croire que, un petit mois plus tôt, une gigantesque pyramide en bois dominait la cour entière. Aujourd'hui, elle avait disparu, les meubles disloqués alimentaient les chaudières de l'école, et des pupitres, des tables de réfectoire, des portes et des placards flambant neufs venaient les remplacer. C'étaient les plus beaux que les ateliers de la ville pouvaient produire. Je le savais bien : je déposais tout juste les dernières commandes et factures sur la nouvelle table en acajou du directeur.

Mon nouvel ami, Florian Pastor, m'avait aidé pour les nombreux papiers que la réfection de l'école avait nécessités. Il apprenait vite et ne manquait pas de talent. Ce garçon irait loin !

Le directeur m'a tendu ma tasse de thé ; j'ai remué la boisson avec lenteur. Il a caressé du doigt la surface polie du plateau.

– Ce n'est pas très raisonnable, je sais. Mais je ne pouvais pas envisager de réutiliser l'ancienne, pas après…

Archimède Berris a frissonné.

J'ai hoché la tête et pris une gorgée de thé chaud et sucré. Je savais ce qu'il éprouvait. La vision du pauvre Tixiol me poursuivra toujours. Mais aurais-je pu faire autrement ?

– Tout est ma faute, s'est accusé le directeur. Sans moi et ma passion stupide pour les oiseaux empaillés…

– Vous ne devez pas vous accabler, monsieur le directeur, ai-je dit en reposant ma tasse. Vous pourriez autant mettre en cause l'archéologue qui a déterré le crâne. Ou me mettre en cause, moi qui vous l'ai apporté…

– Vous n'avez rien à vous reprocher, Edgar ! s'est enflammé le directeur. Je frémis à l'idée de ce qui aurait pu se passer si vous n'aviez pas été là.

Nous avons gardé le silence un moment, tous deux perdus dans nos réflexions.

J'avais une idée assez précise de ce qui aurait pu se passer. En effet, durant les quatre semaines précédentes, je m'étais penché à loisir sur le sujet : j'avais consacré de longues soirées à lire les ouvrages poussiéreux de la bibliothèque d'Inframont pour les érudits de l'Arcane.

Catzicatapetl, messager émeraude des ténèbres, maître des enfers et seigneur du chaos, était l'un des dieux les plus craints et les plus révérés d'une civilisation archaïque de la jungle.

Mystérieuses et mystiques, les villes en ruine de cette civilisation, avec leurs grandes pyramides à degrés, avaient attiré au fil des ans des archéologues et des chasseurs de trésors, tels des fourmiliers sur une termitière. La plupart d'entre eux n'avaient récolté que de médiocres tessons de poterie et le paludisme.

Les véritables joyaux de la jungle n'étaient pas du tout les trésors légendaires enfouis sous les ruines anciennes, mais les splendides oiseaux colorés de la forêt. Les collectionneurs tels que Archimède Berris réclamaient sans cesse de nouveaux spécimens comme « l'alcyon à crête bleue », « le colibri vermillon » ou « le messager émeraude », et ils étaient prêts à y mettre le prix. Pour n'importe quel archéologue audacieux, le commerce des espèces exotiques représentait une juteuse activité complémentaire...

D'après mes recherches, le professeur Rodrigo de Vargas était l'un des plus audacieux. Il connaissait à la perfection le culte barbare du dieu Catzicatapetl. Selon la légende, les adorateurs de Catzicatapetl pratiquaient des sacrifices humains en si grand nombre et avec une telle cruauté que les tribus voisines, scandalisées, avaient fini par se soulever et avaient détruit leur civilisation.

Catzicatapetl avait disparu dans les brumes du temps. Il n'était plus resté de lui que son nom, donné à un bel oiseau rare de la jungle : le catzicatapetl, messager émeraude des ténèbres. Jusqu'au jour où le professeur Rodrigo de Vargas avait fait la découverte de sa carrière alors qu'il fouillait les ruines d'une pyramide oubliée.

Le fabuleux crâne incrusté de pierreries qu'il avait exhumé de sous une grosse dalle avait levé sur lui des yeux étincelants d'une malveillance archaïque. De Vargas avait été le premier d'une série de mortels à subir l'influence maléfique du crâne. Il y avait un an de cela, d'après les coupures de presse, la chasse au trésor du professeur de Vargas s'était brutalement interrompue : on avait retrouvé son cadavre dans un caniveau du port de Valdario.

Bien sûr, un crâne incrusté de pierreries venu d'une civilisation antique aurait fait sensation sur le marché de l'art international, mais Catzicatapetl avait d'autres projets...

Peu de temps après, un certain Luis Fernandez, capitaine de *L'Ipanema*, avait mis en vente sur le marché libre un rare spécimen du « messager émeraude des ténèbres ». Une foule de collectionneurs d'oiseaux de cette partie du monde n'avait pas tardé à lui proposer des sommes considérables ; étrangement, le capitaine les avait toutes refusées ; il avait en revanche accepté la proposition du directeur d'une école privée habitant un pays lointain, vers lequel il avait navigué. Ce pays, révélaient les almanachs, connaîtrait bientôt une éclipse totale de soleil. Personne n'avait jamais revu le malheureux capitaine et son équipage...

Le reste, comme on dit, appartenait à l'histoire.

Nous avions tous été des pions dans la manœuvre pernicieuse de Catzicatapetl pour reconquérir le pouvoir après tant et tant de siècles enterré sous une ruine dans la jungle. Mais, grâce à Mei Ling et à l'art du yinchido qu'elle m'avait si expertement enseigné, j'avais réussi à briser un instant sa domination diabolique. Il ne m'en avait pas fallu davantage...

J'ai fini mon thé, puis suivi le directeur dans la cour en direction des terrains.

– Quant à notre tonneau disparu, a dit Archimède Berris, les sourcils froncés, alors que nous approchions d'une tache pâle dans l'angle de la cour, vous n'en avez pas retrouvé la trace, je suppose ?

J'ai fait non de la tête. Dans le tumulte et la confusion qui avaient succédé à l'éclipse de soleil, aucun de nous n'avait remarqué les deux ouvriers venus aider au déblayage. Avec les pupitres et les placards disloqués, le tonneau d'eau avait fini au fond d'une charrette.

– Il est reparti en voyage, ai-je répondu d'un air sombre. En quête d'une nouvelle éclipse...

Archimède a souri.

– D'après mon almanach, Edgar, la prochaine aura lieu dans soixante et onze ans. D'ici là, a-t-il affirmé en montrant les terrains, nous devrions être fin prêts !

J'ai levé les yeux. Là-bas sur le rectangle se dressait une petite butte, où onze élèves (dont cinq brandissaient des maillets) essayaient d'en arrêter un douzième, qui les a évités et a filé derrière eux.

Tandis qu'il atteignait l'extrémité de la butte, il a saisi entre des piquets une balle grosse comme une tête et l'a jetée de toutes ses forces vers un filet à l'autre bout du terrain, sous les acclamations des membres de son équipe postés sur la ligne de touche.

– Crâne vert ! se sont-ils écriés à l'instant où la balle tombait dans le filet.

– De quoi s'agit-il ? ai-je demandé en me tournant vers le directeur.

– C'est le nouveau sport de l'école, m'a-t-il répondu avec un sourire radieux. Nous l'appelons la pelote Edgar.

RETROUVEZ

Edgar Destoits

DANS

L'ÉTRANGE AFFAIRE DES MORTS-VIVANTS

(TITRE PROVISOIRE - À PARAÎTRE)

DÉCOUVREZ
LE PREMIER CHAPITRE DE

L'ÉTRANGE AFFAIRE
DES MORTS-VIVANTS

(TITRE PROVISOIRE)

CHAPITRE 1

J'ai entendu des gens s'exclamer qu'ils aimeraient mieux être morts – des lavandières épuisées travaillant de nuit dans des sous-sols humides, des mendiants déguenillés près du palais de justice, d'élégantes demoiselles repoussées lors d'un bal de la haute société... Mais s'ils avaient vu ce que j'ai vu par cette froide nuit brumeuse, ils auraient compris la sottise de leurs paroles.

C'est un spectacle qui me poursuivra jusqu'au jour où je rendrai l'âme – après quoi, je l'espère de tout mon cœur, je reposerai en paix.

On ne pouvait pas en dire autant des apparitions épouvantables qui ont émergé des brumes tournoyantes et se sont approchées, leurs bras tendus devant elles comme si leurs doigts maigres, plus que leurs yeux enfoncés, guidaient leurs pas vacillants dans le brouillard épais.

Il y avait une mégère ratatinée, au nez crochu et aux cheveux emmêlés. Une matrone corpulente, son front ridé toujours miroitant de fièvre... Un chiffonnier au regard sournois et un lutteur à mains nues, dont l'œil gauche sorti de son orbite pendait au bout d'un fil luisant. Un gros marchand des quatre saisons et un notaire voûté, leurs vêtements (en satin et en dentelle pour le second, en serge élimée pour le premier) pareillement tachés de boue noire et de fange des égouts. Une domestique, un ramoneur, deux garçons d'écurie, l'un le crâne défoncé par la ruade d'un cheval, l'autre le teint terreux et les yeux brillants à cause de la toux sanglante qui l'avait emporté. Et un robuste voyou de la rivière, son beau gilet en loques et le tatouage sur son menton masqué par la crasse. La profonde blessure à laquelle il avait succombé scintillait en travers de son cou.

J'ai reculé, horrifié, le dos plaqué contre le marbre blanc et froid du caveau de famille. Près de moi, son corps tremblant comme du jambon en gelée, le colonel avait le souffle haché, sifflant. Sur trois côtés du tombeau de marbre, les rangs serrés des spectres se déployaient dans le cimetière brumeux en une parodie grotesque de séance d'instruction militaire.

– Ils m'ont retrouvé, a soufflé le colonel d'une voix rauque, presque chuchotante.

J'ai suivi son regard terrifié et découvert quatre personnages misérables en uniforme de soldat qui se tenaient sur une tombe plate au-dessus de la foule. Chacun d'eux portait les marques de blessures fatales.

La terrible entaille dans le visage du premier avait laissé sa pommette exposée et un lambeau pendant de peau tannée. Le deuxième avait la poitrine ensanglantée et un moignon déchiqueté (seul reste de son bras gauche) ; des éclats d'os jaune pointaient entre ses bandages sales. Une hache rouillée, logée dans le crâne du troisième, fendait sa coiffure militaire cabossée. Et le quatrième, les yeux globuleux, injectés de sang, gardait autour de son cou meurtri, à vif, la corde râpeuse et usée qui l'avait étranglé ; il serrait le mât d'un drapeau dans ses mains noueuses.

Comme je l'observais, il a brandi le mât fendu. J'ai empoigné ma canne-épée et examiné le pan flottant de tissu ensanglanté : des franges souillées, collées, entouraient le brocart à pompons ; au centre, dans un ovale doré, se trouvait l'emblème brodé (un serpent et un ours) rehaussé par les mots *33e régiment d'infanterie* en écriture script penchée, anguleuse. Les lèvres minces de l'affreux porte-drapeau se sont écartées pour révéler une rangée de dents noircies.

– Trente-troisième régiment de combat ! s'est-il écrié d'un filet de voix grinçante.

Les spectres ont oscillé sur place, leurs bras squelettiques étirés devant eux et leurs manches déchirées pendillant, molles, dans l'air brumeux. J'ai senti l'âcreté des égouts qui se dégageait d'eux, ainsi que la puanteur écœurante de la mort. Leurs yeux enfoncés m'ont transpercé.

Nous étions cernés. Ni le colonel ni moi ne pouvions faire quoi que ce soit. La voix du porte-drapeau a résonné, rauque, dans le cimetière :

– En avant !

À SUIVRE...

DÉCOUVREZ
LES AUTRES LIVRES DE

PAUL
STEWART & CHRIS
RIDDELL

CHRONIQUES DU BOUT DU MONDE

LE CYCLE DE SPIC

1. PAR-DELÀ LES GRANDS BOIS

Traduit de l'anglais par Natalie Zimmermann

Lieu de ténèbres et de mystère, les Grands Bois offrent un asile rude et périlleux à ceux qui les habitent. Et ils sont nombreux : trolls des bois, égorgeurs, gobelins de brassin, troglos... C'est là que vit Spic, du clan des trolls des bois. Il est troll et pourtant...

Trop grand, trop maigre, il est différent. Tellement différent qu'il doit fuir, par-delà les Grands Bois. Mais surtout, surtout, sans jamais sortir du sentier. Jamais...

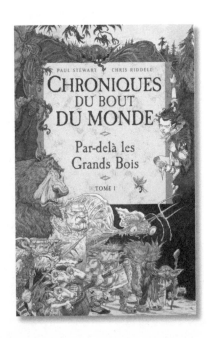

CHRONIQUES DU BOUT DU MONDE

LE CYCLE DE SPIC

2. LE CHASSEUR DE TEMPÊTE

Traduit de l'anglais par Jacqueline Odin

Ville de mystères et de danger, Sanctaphrax peut tout offrir au visiteur : argent, bonheur, pouvoir, mort... Spic, nouvellement enrôlé dans l'équipage du *Chasseur de tempête*, est envoûté par la cité flottante. Mais Sanctaphrax est en danger... Sa survie dépend du phrax de tempête, une substance qui maintient son équilibre. Sans lui, la ville briserait ses amarres et s'envolerait dans le ciel à tout jamais...

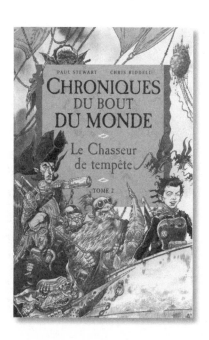

CHRONIQUES DU BOUT DU MONDE

LE CYCLE DE SPIC

3. MINUIT SUR SANCTAPHRAX

Traduit de l'anglais par Jacqueline Odin

Loin, très loin dans le ciel infini, un redoutable danger menace : c'est la Mère Tempête. Celle qui détruit tout sur son passage. Celle par qui tout meurt et tout renaît. Sanctaphrax se trouve sur son chemin, mais personne ne le sait. Seul Spic pourrait éviter le désastre…

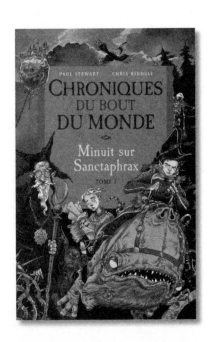

Chroniques du bout du monde

Le cycle de Rémiz

1. Le dernier des pirates du ciel
Traduit de l'anglais par Jacqueline Odin

Maladie de la pierre. Quatre mots qui ont tout changé. Tout : la cité volante de Sanctaphrax ne flotte plus, les bateaux de la Ligue sont cloués au sol, les pirates du ciel ont disparu à jamais... Comble de malheur, une lutte à mort a placé l'usurpateur Vox Verlix au pouvoir. Les érudits, qui régnaient jadis en maîtres, sont désormais condamnés à vivre clandestinement, dans la fange des égouts d'Infraville...

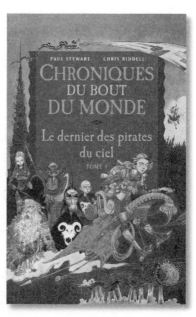

CHRONIQUES DU BOUT DU MONDE

LE CYCLE DE RÉMIZ

2. VOX LE TERRIBLE

Traduit de l'anglais par Jacqueline Odin

Vox Verlix. Dignitaire suprême de Sanctaphrax. Un tyran. Mais un tyran de papier, qui vit reclus dans un palais délabré. Un obèse alcoolique qui, dans ses moments de lucidité, élabore des plans de vengeance. Quand Rémiz, le jeune chevalier bibliothécaire, découvre ses projets, il est glacé d'effroi. Car c'est toute la Falaise qui est menacée…

CHRONIQUES DU BOUT DU MONDE

LE CYCLE DE RÉMIZ

3. LE CHEVALIER DES CLAIRIÈRES FRANCHES
Traduit de l'anglais par Jacqueline Odin

Infraville est détruite. Ses habitants ont tout perdu.
Une seule issue, pour tous les Infravillois : l'exode.
Direction : les clairières franches, le seul espace de
liberté qui subsiste encore, au cœur des Grands Bois.
Un long et périlleux voyage…

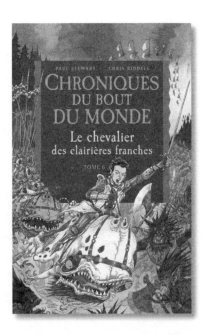

CHRONIQUES DU BOUT DU MONDE

LE CYCLE DE QUINT

1. LA MALÉDICTION DU LUMINARD

Traduit de l'anglais par Jacqueline Odin

Sanctaphrax la Grande. Sanctaphrax la Puissante. Mais Sanctaphrax est une ville en danger... Au plus profond de son rocher flottant, Sanctaphrax abrite un terrible secret. Pire qu'un secret, une vérité : quand la terre et le ciel s'unissent pour de sombres raisons, ils peuvent donner naissance à la pire créature qui soit. Une créature synonyme de destruction. Le luminard...

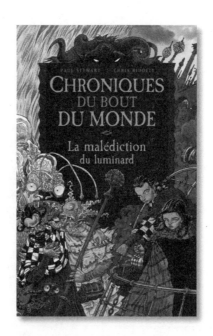

CHRONIQUES DU BOUT DU MONDE

LE CYCLE DE QUINT

2. LES CHEVALIERS DE L'HIVER

Traduit de l'anglais par Jacqueline Odin

Un terrible hiver s'est abattu sur Sanctaphrax. Un froid implacable, glacial, pénétrant. Sur le rocher flottant, la vie semble figée, d'autant plus que la cité est en deuil : Linius Pallitax, le respecté Dignitaire suprême, vient de mourir. Avant de disparaître, le vieux sage a toutefois permis à Quint Verginix, son jeune protégé, d'entrer à l'Académie de chevalerie. Seul désormais, Quint doit faire face à de nouveaux ennemis...

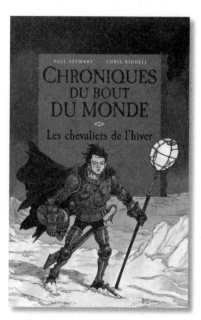

CHRONIQUES DU BOUT DU MONDE

LE CYCLE DE QUINT

3. LA BATAILLE DU CIEL

Traduit de l'anglais par Jacqueline Odin

Turbot Smil. Pour le jeune Quint, devenu pirate du ciel aux côtés de son père, le Chacal des vents, ce nom évoque à jamais la trahison et la mort. Turbot Smil le traître, qui fomenta une mutinerie contre le Loup des nues ; Turbot Smil l'assassin, qui fit périr toute la famille de Quint. On le croyait mort, mais une rumeur court dans Infraville : Turbot Smil est de retour !

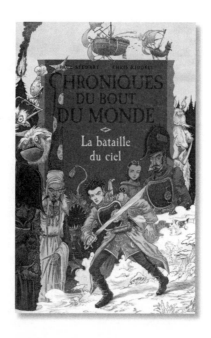

LES AVENTURIERS DU TRÈS TRÈS LOIN

FERGUS BONHEUR

Traduit de l'anglais par Amélie Sarn

**LES AVENTURES FABULEUSES DE FERGUS BONHEUR
ET SES INCROYABLES EXPLOITS EN MER D'ÉMERAUDE…**

Es-tu prêt à frissonner lorsque Fergus affrontera les terribles dangers du monde souterrain ? Trembleras-tu lorsqu'il essaiera de sauver ses amis des griffes d'un ignoble pirate ? Sauras-tu voler sur le dos d'un cheval mécanique ? Oui ?
Alors tu es prêt pour le plus extraordinaire des voyages…

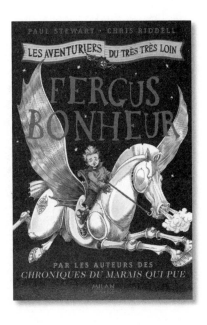

LES AVENTURIERS DU TRÈS TRÈS LOIN

ZOÉ ZÉPHYR

Traduit de l'anglais par Amélie Sarn

**LES AVENTURES FABULEUSES DE ZOÉ ZÉPHYR
PENDANT SON VOYAGE À BORD DE L'*EUPHONIA*...**

As-tu envie de découvrir le pays de l'âne enrhumé, de la chèvre rieuse et du cochon dansant ? Parviendras-tu à déjouer les terribles complots de la Confrérie des clowns ? Et surtout, perceras-tu le mystère de la créature enfermée dans la cale du navire ? Oui ? Alors si tu ne souffres pas du mal de mer, tu es prêt pour la plus extraordinaire des traversées...

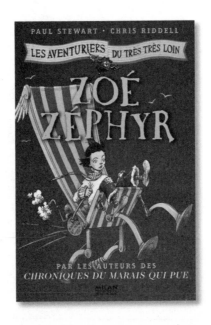

LES AVENTURIERS DU TRÈS TRÈS LOIN

HUGO LACHANCE

Traduit de l'anglais par Amélie Sarn

LES AVENTURES FABULEUSES DE HUGO LACHANCE
PENDANT SA TRAVERSÉE DU GRAND NORD...

Auras-tu le courage de parcourir le monde à bord d'un traîneau volant ? Oseras-tu affronter l'ignoble scélérat qui terrorise les habitants de Port-du-Haut ? Et surtout, perceras-tu le mystère des drolatiques, énigmatiques et fantomatiques géants des neiges ? Oui ? Alors accroche-toi aux manettes, et décolle pour un voyage inoubliable !

Chroniques du Marais qui pue

Épisode 1 :
La chasse à l'ogre

Traduit de l'anglais par Amélie Sarn

Jean-Michel Chanourdi n'aurait jamais dû aller promener son chien, jamais dû s'approcher de ce buisson… Car Randalf le Sage, apprenti magicien, l'a piégé. Désormais, Jean-Michel sera Jean-Mi le Barbare, un super-guerrier. Sa mission : terrasser Engelbert le Gigantesque, l'ogre le plus terrible de tout le Marais qui pue. Ça va faire mal. Très mal…

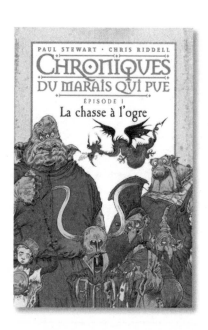

Chroniques du Marais qui pue

Épisode 2 :
La grotte du dragon

Traduit de l'anglais par Amélie Sarn

Il se passe des choses étranges au Marais qui pue. Des armées de petites cuillers s'entraînent au combat, des escadrons d'armoires volantes sèment la terreur, et les dragons, d'ordinaire si paisibles, kidnappent les magiciens... Jean-Michel et ses amis n'ont aucun doute : c'est l'œuvre du terrible, de l'horrible, de l'indéfectible docteur Câlinou...

CHRONIQUES DU MARAIS QUI PUE

ÉPISODE 3 :
L'ABOMINABLE DOCTEUR CÂLINOU

Traduit de l'anglais par Amélie Sarn

Cette fois-ci, Jean-Michel Chanourdi est bien décidé à rentrer chez lui, dans le monde normal (sans ogre, ni dragon, ni grenouille péteuse). Seul problème : il lui faut d'abord récupérer le Grand Grimoire, volé par le terrible, l'horrible, l'indéfectible docteur Câlinou... Et ce n'est pas gagné d'avance...

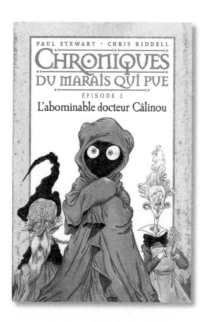

Achevé d'imprimer en France par Aubin
Dépôt légal : 3ᵉ trimestre 2008
N° d'impression : L 72385